充実した模型ライフのための環境構築術

MODELLER'S Room Style Book 2

モデラーズルーム スタイルブック2

Sasahara's Room

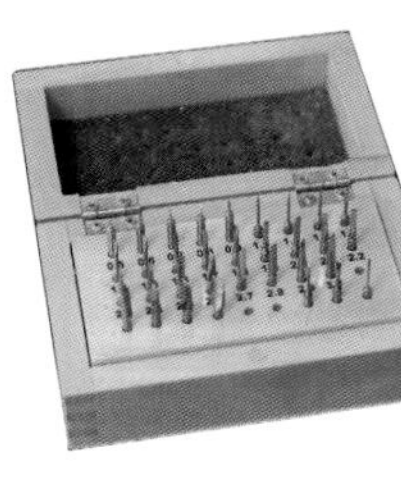

ken16w ,Tanuki , Koji ITO , Hideyuki NONOUE , Dai SASAHARA , Kuniyuki TAKEUCHI ,

Fuzzy , Hiroshi SUMI , Seiji TAKAHASHI , Pooh KUMAGAI , Akira TANI , Suou@KAWAGUCHI , RYOTA , Anmo NAITOH ,

Yoshitaka CHOUTOKU , KuWa[FRAMEOUT MODELS] , Riku KUROKAWA , Kazuya FUKUDA ,Takeshi OHTUKA ,

ROKUGEN , Chogi , Hiroshi NSHIZAWA , Go NISHIMURA , Early Chop! , GattoNero

大日本絵画

Renovation Style

01

Amazing Style

02

Pooh KUMAGAI

Professional Style

03

Yoshitaka CHOUTOKU

KuWa

Riku KUROKAWA

Kazuya FUKUDA

Homely Style

04

Early Chop!

GattoNero

INDEX

CONTENTS!

ken16w

TANUKI

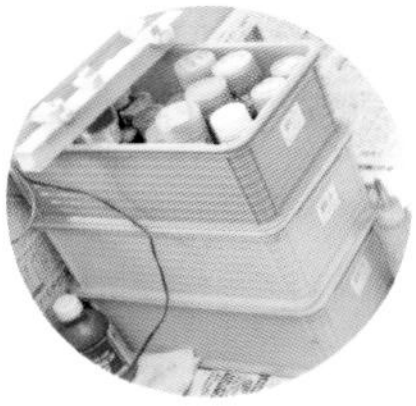
HIDEKI NONOUE

Dai SASAHARA

Kuniyuki TAKEUCHI

Fuzzy

Hiroshi SUMI

Seiji TAKAHASHI

Akira TANI

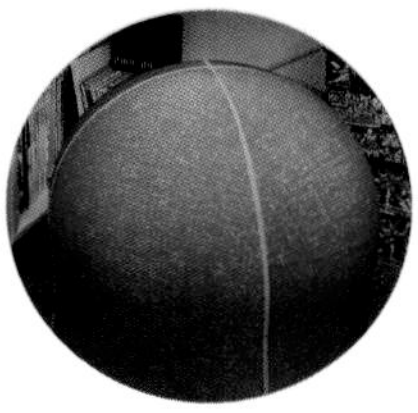
Suou@KAWAGUCHI

RYOTA

Koji ITO

Anmo NAITOH

Takeshi OHTUKA

ROKUGEN

Chogi

Hiroshi NSHIZAWA

Go NISHIMURA

はじめに

総合模型誌『月刊モデルグラフィックス』誌の人気連載「帰ってきたザ・コクピット 模型部屋を作ろう」で掲載された国内のモデラー／造形師のアトリエをまとめたものが本書です。2017年に刊行された第一弾は大変好評で「模型部屋を作る」という新しいジャンルに日の目を当て、数多くのモデラーに支持していただきました。それに続く第二弾である本書では主にプロモデラーの人々のアトリエの紹介となっています。

昨今模型製作が大人の趣味として認識され、多数のモデラーが模型製作を嗜んでいるうちに壁にあたるのが「模型製作環境」です。スペースであったり、溶剤の臭気であったり、塗装環境の確保であったりと難しい問題が生じます。これはもちろんプロモデラーの方達も同じです。これをどう解決するのか、ぜひ本書を参考にしてください。また大好きな模型を楽しむための空間作り、という点でも模型部屋を作ることは多いに意義があります。どんなスタイルの部屋にするのか、それもきっと読者の皆さんが共感できる部屋が見つかるにちがいありません。楽しんで読んでいただければ幸いです。(『月刊モデルグラフィックス』編集部)

01

Renovation Style

自宅を建てる、もしくは改築／改装するというのは、
モデラーにとって理想の模型部屋を構築する
絶好のタイミングといえる。
どんなカタチが自分にとって使いやすいのか、
理想は人それぞれだ

ken16w

TANUKI

HIDEKI NONOUE

●リフォームの際、リビングの奥の6畳間を完全に模型専用の部屋として改造したアトリエ。部屋の片面に作り付けられた大型テーブルは、360㎝の合板を壁に埋め込んだ備え付けのもの

ken16w

模型部屋ありきのリノベーション
リビングと直結した、
夫婦の会話がとぎれない模型部屋

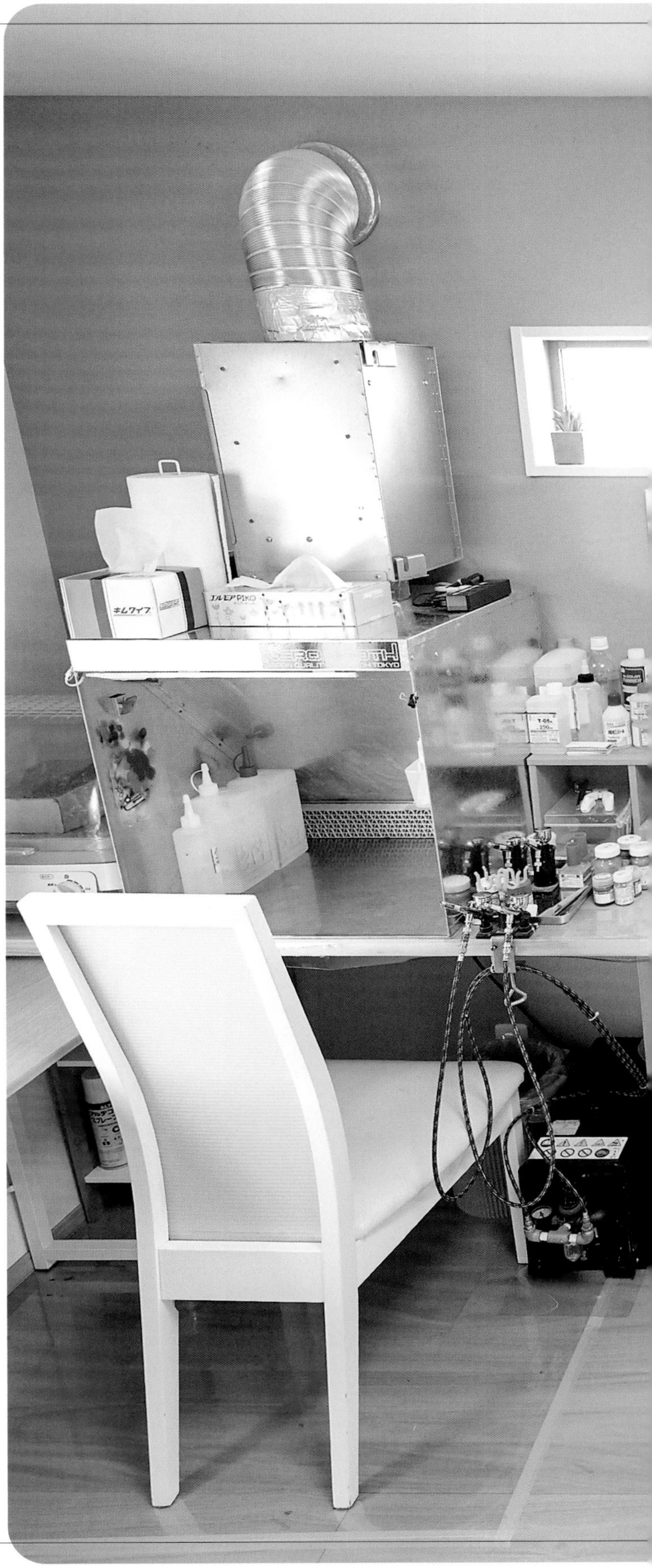

模型趣味者の最大の憧れは「理想の模型専用の
工作部屋を作る」ということではないだろうか?
この部屋の主は数多くの模型雑誌でのガンプラ作例で
活躍するKen16wさん。
実家のリフォーム／二世帯住宅化にともない二階部分を
大きく再設計、生活空間のなかに
模型工作部屋を取り込みました。
そんな部屋作りに際してのこだわりを
うかがってみました。

ken16w

各模型誌で作例を担当するガンプラモデラー。motoGPやF1のキットを作りたいのだが纏まった時間が取れず手を出せずにいる。模型部屋の居心地が良過ぎ、“ながら模型“になってしまい作業スピードが落ちているのが原因とも言える

1模型部屋は25畳もの大リビングに直接繋がっており、家族とのコミュニケーションもばっちり。塗装など溶剤を多用する作業以外のときは基本的に扉はあけたままで家族との会話と模型作りを同時に楽しむという。**2** メインとなる作業テーブルは1辺が360㎝の合板を壁に埋め込んだ備え付けのもの。床への支柱を減らしても充分な強度を確保できたため、板下部分を広く活用できる。また長大な机は左右でのシームレスな作業を可能にしている。そこの中央を工作スペース、左側を塗装スペースとして活用。奥様が設計したというはめ殺しの正面の窓からも効率良く採光でき、非常に明るい作業場だ

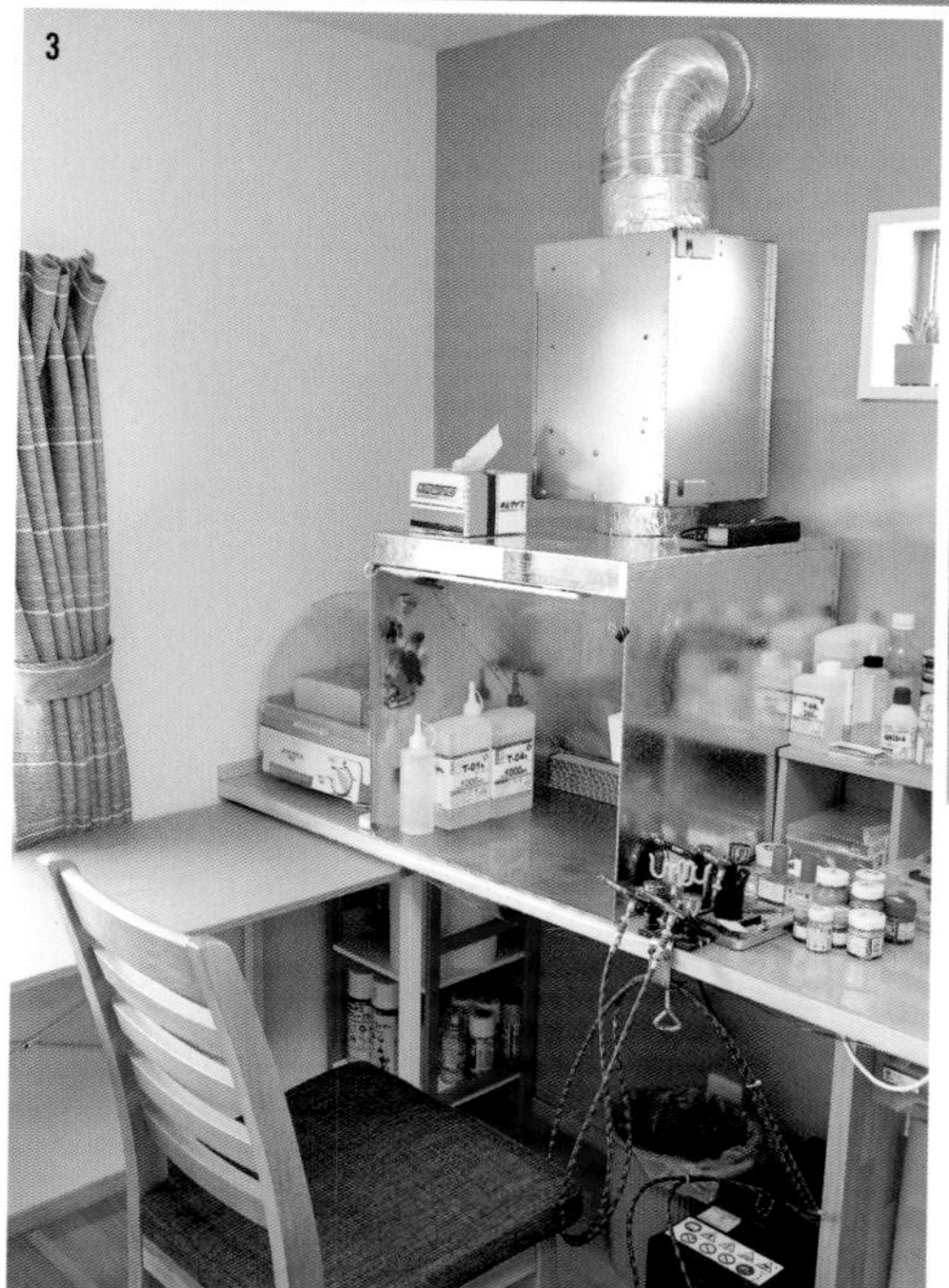

3 塗装ブースは「ネロブース」を使用。壁に専用の排気穴を開口しダクトを繋いでいる。**4** 模型部屋の横には家の構造上生じたデッドスペースを本棚&作品展示スペースとして活用している。**5** 一枚板のテーブルは非常に使い勝手がよい。手元のライトは拡大鏡付きのLEDライトを手前に設置。工作時も塗装時も自由に光源を動かせるようにしている

ROOM SPEC
・新潟県燕市在住
・間取り:6LDK
・住宅形態:二世帯住宅／二階部
・模型部屋:6畳洋間
・家族構成:本人+妻+ご両親

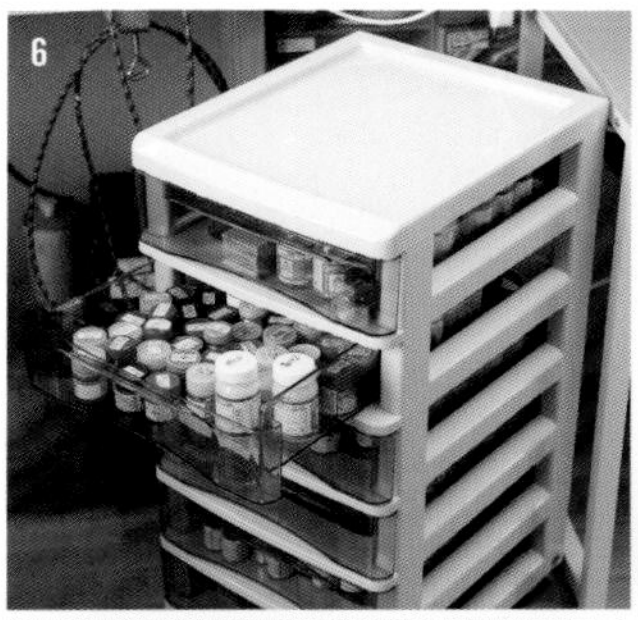

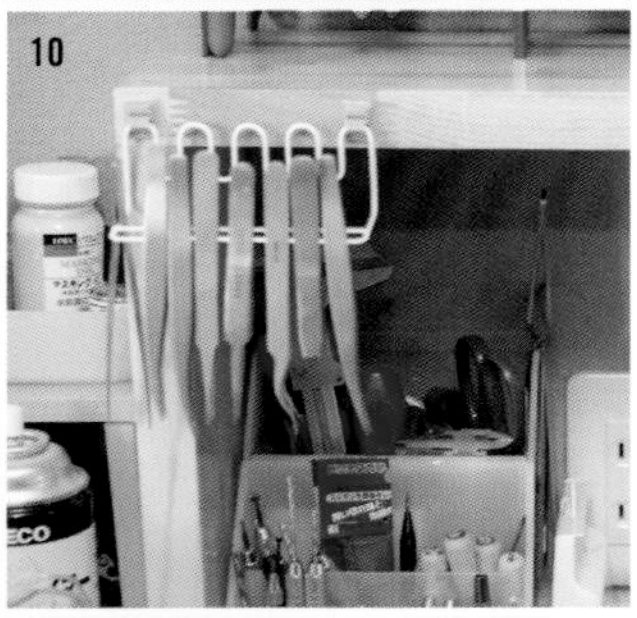

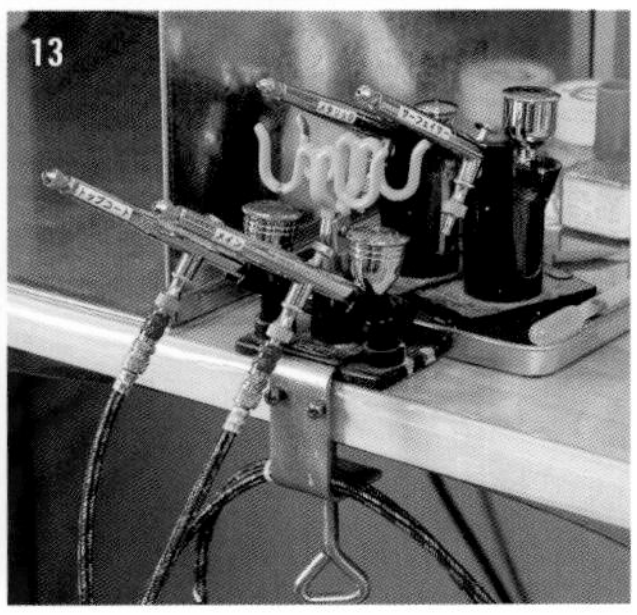

6 塗料はキャビネット内に置いたキャスター付きの書類入れに収納している。**7** 工作時に使用する各種紙ヤスリはひととおりの番手をトレーに集め、出し入れの時間を短縮。**8** 塗装スペースの床は透明フロアマットで養生している。**9** チゼルやタガネなどは取り出しやすいように、斜め収納ができるケースに収納。グリップに刃幅の㎜数を表記している。**10** ピンセットは各種をフックにかけて管理。**11** リューターのビットを専用ケースを作り保管している。**12** 工作時、一段高い作業スペースがほしい際に使う台。表面にカッターマットを貼っている。**13** ハンドピースはメイン用、トップコート用としてタミヤスプレーワークHGを各1本。そのほか、サーフェイサー用、メタリック塗装用、プライマー塗装用、ラメ塗装用など用途に応じて専用のハンドピースを使い分けている

リフォームだからできた。大型テーブルを中心とした理想の模型工作室

以前はアパート住まいで、工作はアパート&塗装は車で10分ほど離れた実家で行なっていました。その往復が面倒と感じていたので、両親の高齢化に伴いリフォームを前提に実家に入ることを決めました。決めるといっても妻の承諾無くして決められるはずもなく、そこはやはり両親との同居を承諾してくれた妻に感謝ですね。

リフォームですので、使える空間は限られ、間取りも大きく変更することが難しかったのです。しかし作品展示棚、資料本棚、漫画本棚は絶対に必要だったので、学生時代に建築関係を学んでいた妻が設計してくれることによって、より有効に空間を使用することができました。抜けない柱なども上手く利用し、展示棚や本棚の一部としてうまくアレンジできたと思っています。

模型部屋用に使用できる6畳のスペースをリビングと併設し、作業時は引き戸を開けて、リビングと繋がった空間とすることにより作業しながらも夫婦の会話ができるようにしてあります。閉じた部屋にこもっちゃうのが嫌だったんです。アパート住まいのときはリビングの小さなテーブルの隅で作業をしており、同じ空間に妻がいて、何気ない日常会話をしながらの工作だったわけで、それが何気に心地よかったんですよね。ひとりになって集中したいという方には考えられないとは思いますが(笑)。

塗装ブースはネロブースを導入しました。壁にはネロブースに合わせた排気口を設置しています。いままでは小型のプロペラファンを使用した自作のブースを使用していましたが、その性能差は歴然で、臭いも気にならずマスクなども必要ないレベルで驚いています。基本的にはブース内での塗装が推奨されていますが、ブース内に入りきらないサイズの1／10電動RCカーのポリカーボネイト製ボディを缶スプレーで塗装しても、吹き返しもなく吸い込んでいました。ネロブースの性能には大満足しています。リビングとのあいだの引き戸を全開にして塗装しても、なんら臭いを感じないと妻のお墨付きです。この部屋のコンセプトに合致した強力な塗装ブースですね。■

ココがPOINT!

撮影ブースも常設 手早く高クオリティ撮影が可能

専用撮影ブースに両サイドのバンクライトを常設しており、おもいつけばすぐに一眼レフのデジタルカメラで作品の撮影が可能だ。

●与えられた3畳ほどの空間に見事に工作/塗装の環境が構築された、模型製作専用の部屋となっている

TANUKI

新築戸建て建築時に、3畳のスペースを模型専用に確保

自宅を新築する際に優先されるのは、家族が
長時間過ごすであろうリビング、寝室、将来の家族のための
部屋割りや水回りなど生活の主体となる空間である。
しかしながら、ささやかでもモデラーとしてのスペースを
差し込むことが許される場合、はたしてどうしたらベストな
空間を構築することができるのか?
作り付けの専用空間だからこそ考えられるレイアウトや
導線を考えた道具類の配置にこだわってみたい。

たぬき

『月刊モデルグラフィックス』など多数の模型誌でガンプラを担当する新潟県在住のモデラー。大きな見た目に反して細かい作業を得意とする。最近はインドカレーにハマり中でおいしいお店を調査中

作り付けの机のおかげでテーブル下に空間を確保

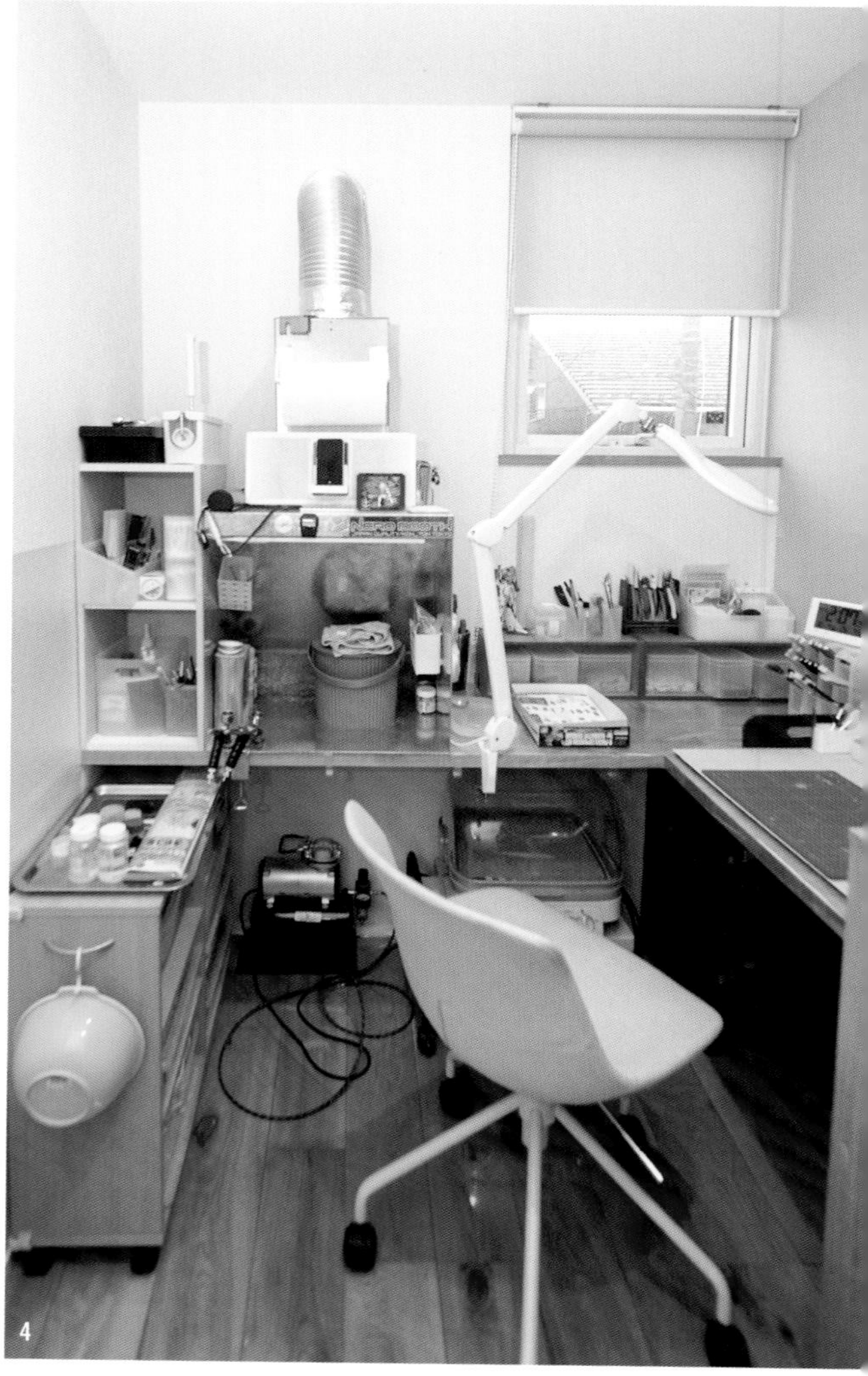

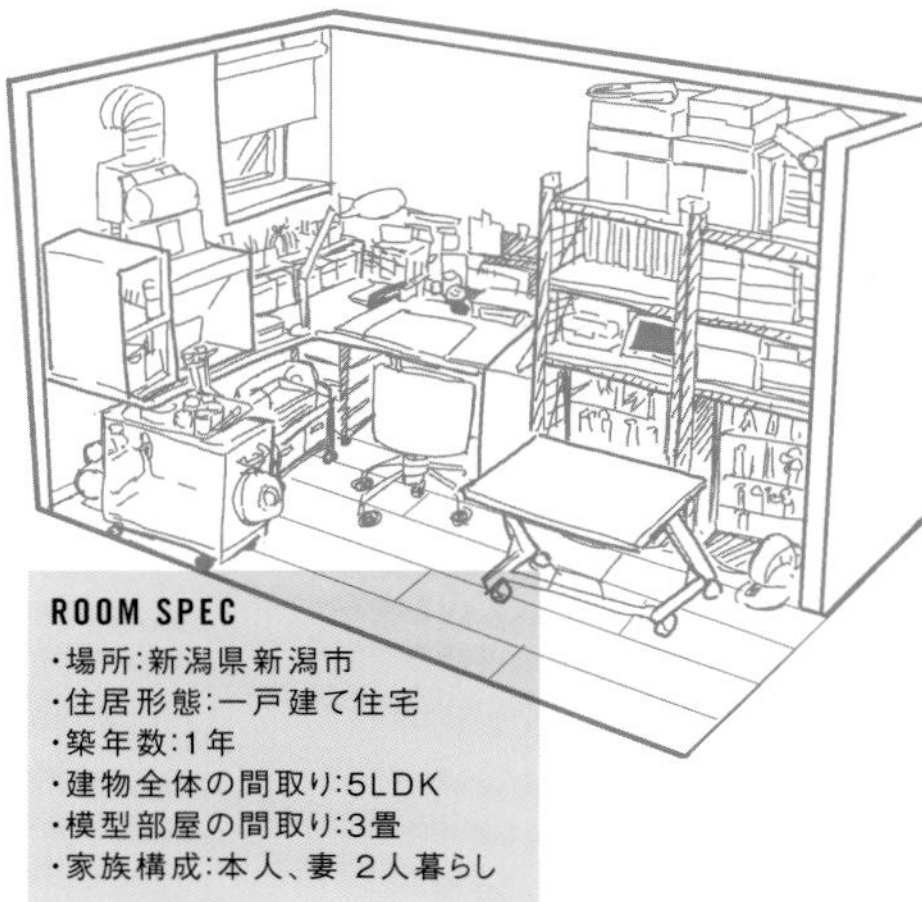

ROOM SPEC
- 場所:新潟県新潟市
- 住居形態:一戸建て住宅
- 築年数:1年
- 建物全体の間取り:5LDK
- 模型部屋の間取り:3畳
- 家族構成:本人、妻 2人暮らし

12

10

13

11

14

1 4 9 部屋内はL時型にテーブルがレイアウトされ正面は塗装関係に、奥側は工作関係が主体となるような配置になっている。**2 3** 手前にはラックが置かれ上部には資料本や厳選された在庫キットを管理。下側はショーケースとなっており、完成品をここに展示している。**5** こまかい手作業を行なう場合に使用するかち上げ用の作業台。家具屋で売っているウォールシェルフをひっくり返したものにカッティングマットを貼って使っている。**6** TV視聴用のタブレット。**7** 研磨作業に多用するゴッドハンド「神ヤス」は番手ごとにケースにいれてすぐに手が伸びるようにしている。**8** 模型部屋構築の際に採用したのは「ネロブース」。問題となる排気は壁面に専用の穴を設けている。**10** 100円均一ショップで手に入る斜め差しのペン立てにタガネ類を保管している。**11** 使用頻度の高いニッパー類は専用スタンドを使って卓上で保管している。**12** 椅子はモデラー仲間のken16wさんから新築祝いにいただいたもの。**13** 塗料は大型の書類ケースに入れてテーブル下で管理している。**14** 作り付けのテーブルは脚がなく下が広く使えるのが特徴。キャスターの上に塗装ブースとして山善の食器乾燥機を入れている

キャスター付き収納を多用。作業に合わせてレイアウトも変更可能

模型誌で作例を始めた当初は、妻とふたりで1LDKのアパート暮らしだったため、リビングの机の上が作業スペースでした。そのため作業が終わるたびに、製作中の模型を片付けなければいけません。塗装もそのアパートではできず30分ほど離れた実家で、平日仕事が終わったあとや週末に戻って塗装作業を進めていました。そういった環境では作業が思うように進まない事も多くありました。

その後、新居を新築で構えることになったのですが、妻には何よりも真っ先に模型専用部屋の確保をお願いしました。理解のある妻のおかげで省スペースながらも確保することができました。当初は2畳の予定でハウスメーカーさんに設計の依頼を出していましたが、間取りの都合ということで最終的には3畳のスペースを確保することができるようにました。(ハウスメーカーさんには非常に感謝しております)

しかし、こういったスペースを確保する上で、妻と交わした約束がありまして、それは「完成品のディスプレイ含め、すべてのことをこの模型部屋で完結させる」というものです。なによりも貴重なスペースを捻出してくれたわけですから、この約束は守らなくてはなりません。

そのような条件のなかでいかに自分の理想とする模型部屋を実現するのかを考えた結果、「工作と並行してサフチェックや塗装もでき、展示スペースも設置できるコンパクトながらも機能的な作業部屋」を目指すこととしました。3畳という狭い作業ペースを有効活用するために部屋の間取りが確定した時点でディスプレイケースや収納ラック、収納棚を事前にセレクト。それに合わせてL字の作業机の幅や高さ、塗装ブースの換気口の開口位置、作業資料など貼り付けるマグネットボードの設置位置をハウスメーカーに依頼し、作り付けてもらいました。

作業の都度適したレイアウトに変更できるように塗料や工具を収納する棚はすべてキャスター付きです。移動に便利なキャスター付きの補助机も導入しています。

塗装ブースはネロブースを導入しました。扉を開放したまま作業をしてもシンナーの臭い漏れもなく妻からは好評です。

模型専用の作業部屋を作るということは家族の理解を得ることが一番難しいポイントなのかもしれません。自分の場合は妻の理解もあり新居に引っ越した後も、いままでどおり模型を続けることができましたがこれを当たり前とは思わずに、家族に感謝しないといけないですね。■

ココがPOINT!

サブテーブルを多用します

ガンプラの塗装など、多くのパーツをいちどに並べる場合、キャスター付きの簡易テーブルを使用する。普段は入り口付近に配置

4m×4mのスペースとなるところにトイレも設置したために変形した空間に。手洗い場は模型用の水回りとして使用している

HIDEKI NONOUE

専用の作業台をつくりつけ、模型の在庫収納も可能な大型棚を設置

『月刊モデルグラフィックス』や『ネイビーヤード』誌面で、主に1/350サイズなどの大型艦船モデルを製作、発表している野々上氏の模型部屋は、広く使いやすい間取りを心がけて作られている。大型のテーブルは塗装ブースを排し、充分な作業スペースを確保することを可能としている。モデラーならではの在庫キットの収納方法も壁一面を収納棚にするなどかなりユニークだ

野々上 秀樹

艦船モデラー。本誌および姉妹誌『ネイビーヤード』では大スケール1／350艦船模型を製作することが多い

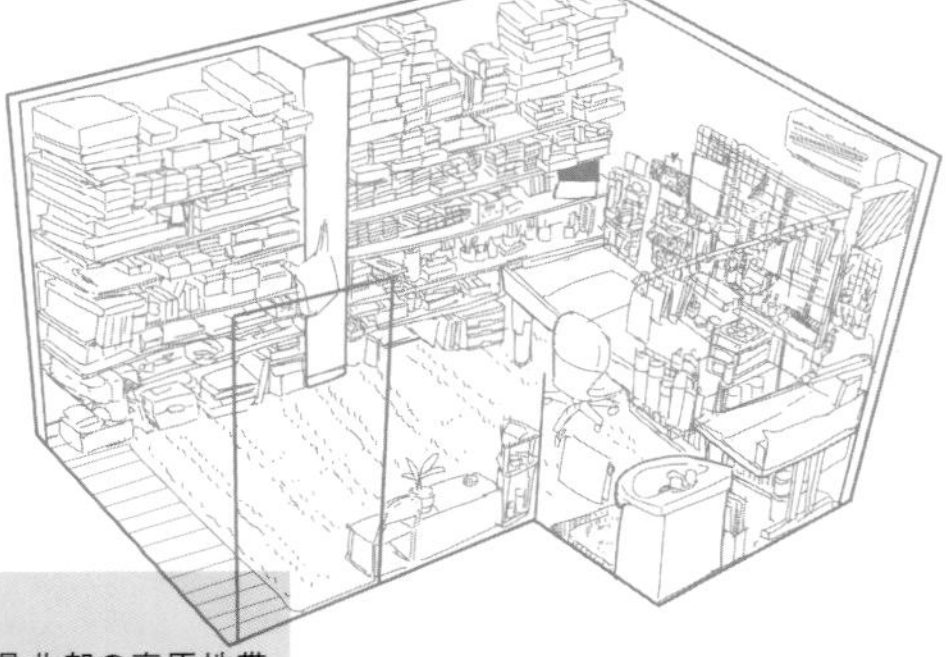

ROOM SPEC

- ・場所／岡山県北部の高原地帯
- ・住居形態／一戸建て住宅
- ・建物全体の間取り／
  5LDK+カメ用温室
- ・模型部屋の大きさ／約14㎡
- ・模型部屋の向き／南西
- ・家族構成／妻、ケヅメリクガメ

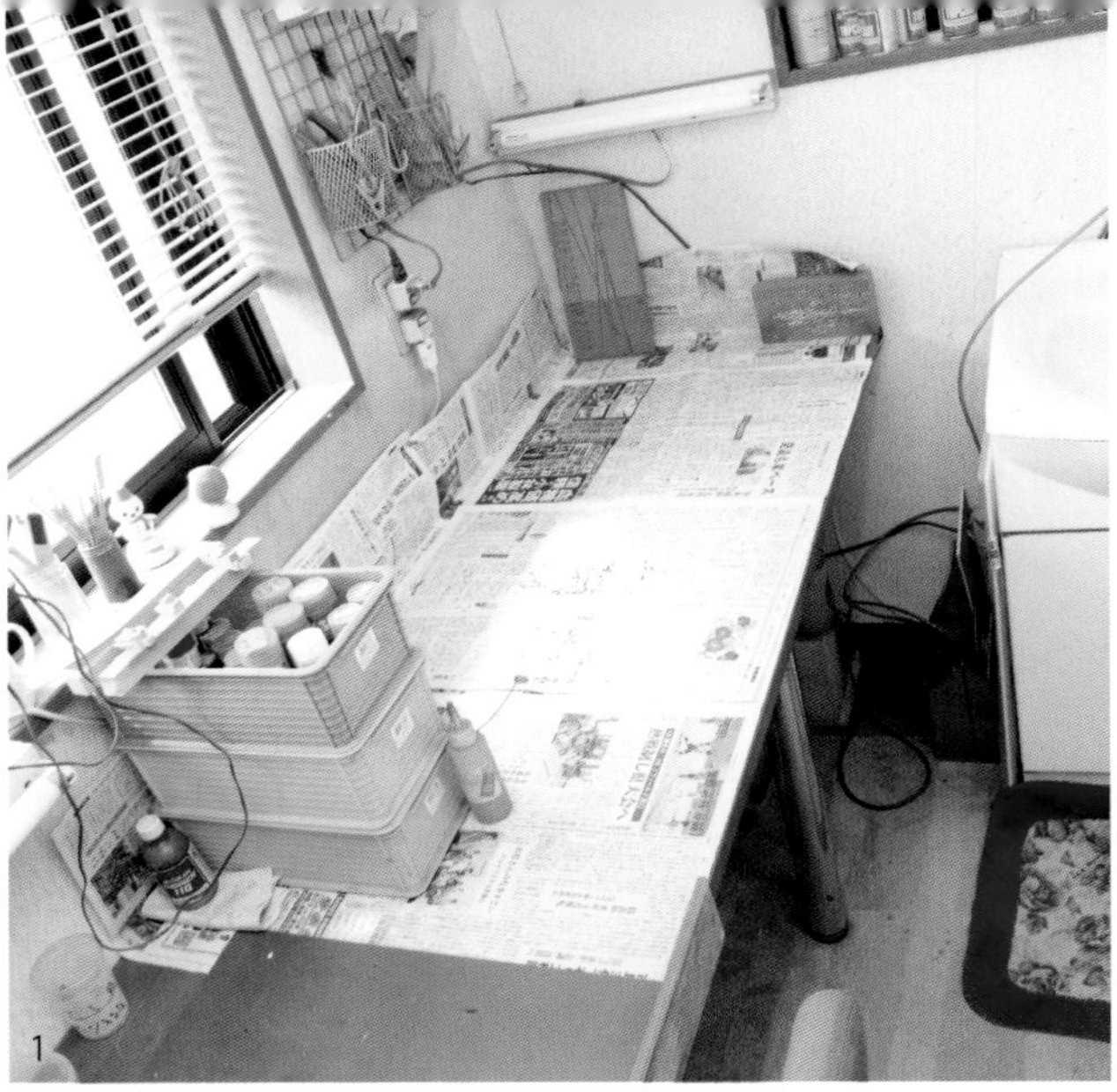

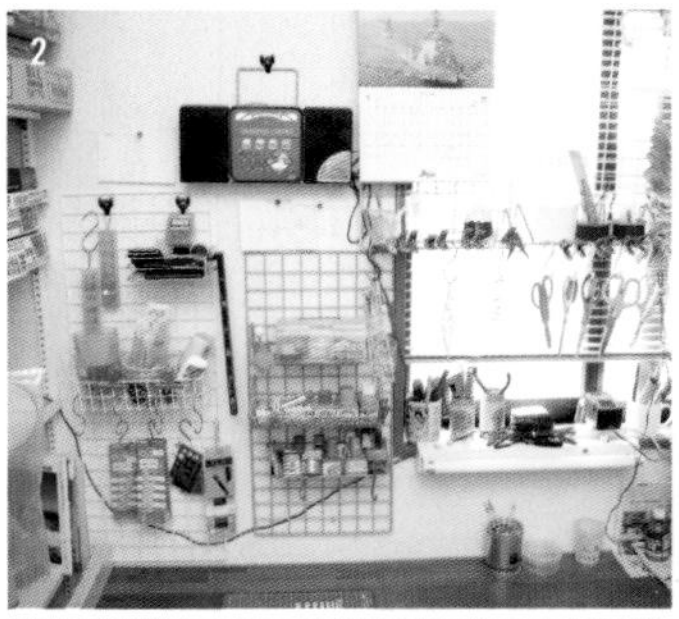

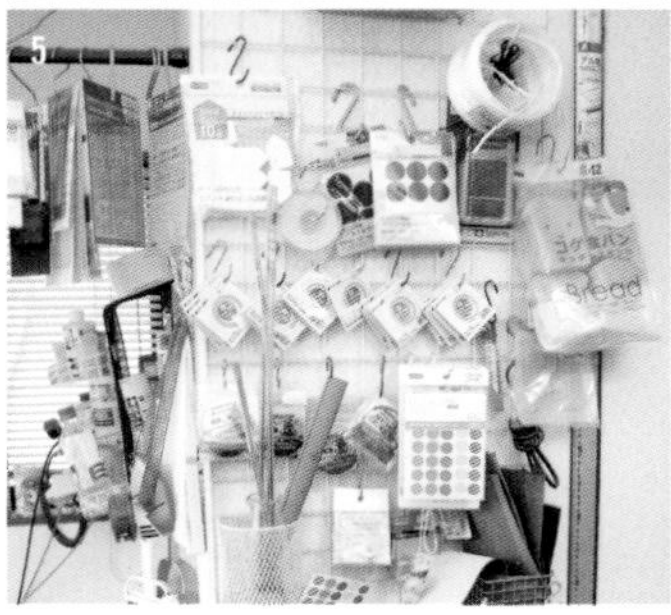

1 ニオイの少ない水性塗料をおもに使用していること、塗装ブースに入らない1/350艦船模型をよく製作することから、塗装はブースではなく新聞紙で養生した塗装コーナーで行なう。上部に設置された換気扇を回すことで外部に臭気が漏れることはないという。**2 5** 作業机の正面や右手側にはラックや突っ張り棒にフックをかけ、エッチングパーツやマスキングテープ、張り線用のメタルリギングなど、未使用品を中心にぶら下げている。**3** 作業中は音楽を聞いていたいので、壁掛けCDプレイヤーも設置している。**4** 作り付けの机の下には雑誌や艦船模型製作用の資料が収納されている。**6** 塗装用のコンプレッサーにはGSIクレオスのリニアコンプレッサーL7を使用。エアブラシはエアテックス製0.3㎜ダブルアクション。**7** 椅子は普通の事務用椅子を使用しているが、邪魔になりがちな、ひじ掛けがないのがポイント

材料・工具は「椅子から手の届く範囲」に配置
コンパクトにまとめた機能的な模型部屋

22年前、現在の家を新築する際、広く使いやすい間取りを……と自分で考えて作ったのがこの模型部屋です。当初は4m×4mの予定でしたが、奥方の「二階にもトイレが必要!」とのひと声で1×1.5mが削られ不規則なL字型となっています。

1／350の艦船模型を製作することが多いため、作業机は奥行き60㎝×幅180㎝の巨大なものを導入しています。半分は新聞紙で養生して塗装スペースとし、工作、塗装が並行して行なえるようにしました。塗装スペースには排気用の換気扇を取り付けました。当初は塗装スペースに近い、机のすぐ上あたりに設置するつもりでしたが、工事のミスで通常の高さになってしまいました。排気能力という意味では低下したかもしれませんが、冬に吹きすさぶ寒風が吹き込んで直接体に当たる……ということは避けられたので結果オーライだったのかもしれません。

側壁はフリーで調整できる棚にし、模型関連各種を収納する大容量の収納スペースとしました。棚の60%ほどを占める未組み立てキットは作業スペースから遠いところに配置し、それよりは近いところに材料・ディテールアップパーツ・ジャンクランナー・ジャンクエッチングパーツ。これで35%ほどです。そして作業机にもっとも近い場所は工具置き場として、各種ピンセットやドリル刃・リューターのビット・筆記用具などを保管しています。また、製作しながら少し手を伸ばせばなんでも取り出せるよう、作業スペース近くの壁にはメッシュラックを設置し保管スペースとしています。工具を引っ掛けるのにはS字フックを多用しているのですが、これがメッシュラックとの相性がすこぶるよく、工具の並び替えにもすぐ対応できるほか、製作途中キットのランナーを引っ掛けるのにも重宝します。

ホコリや塗料のミスト付着が気になるのでパソコンは模型部屋に置いていませんが、そのかわりCDラジオプレイヤーとポータブルDVDプレイヤーを置いて、作業のお供に聴いたり観たりしています。最近のお気に入りは瀬戸内エリアの海自応援アイドル、KOBerrieS。お嬢様系で心地よい、いい歌が多いので……。

作業台の横には塗料の希釈、洗いものやデカール作業に便利なよう流し台を設置しましたが、二階唯一の流し台なので奥方の使用頻度も高く、未組み立てプラモデルの増減には常に目を光らせられてしまうことになりました。

現在のわが模型部屋、当初の予定よりは狭くなりましたが、自分であれこれ考えて作ったため満足度は高くなっています。唯一悩みがあるとすれば「余命を考えて在庫を増やすな!」という奥方からの厳命かな? まだ作りたいキットは大量にあるのに……人生って短いですね! とはいえ、、雑誌作例で新製品を担当することが多いので、そこまで深い悩みになっている、というわけではないのですが……。■

02

Amazing Style

自分の作業しやすい模型環境を極端に構築するあまり、
模型部屋が他人の環境とは似ても似つかない
独自の進化を遂げる場合がある。
それぞれに特化した理由がユニークなのも興味深い

Dai SASAHARA

Kuniyuki TAKEUCHI

Fuzzy

Hiroshi SUMI

Seiji TAKAHASHI

Pooh KUMAGAI

●壁に取り付けられた艦船や車の玩具といったディスプレイは、中味のも含め以前住んでいた家主の置き土産とのこと

DAI SASAHARA

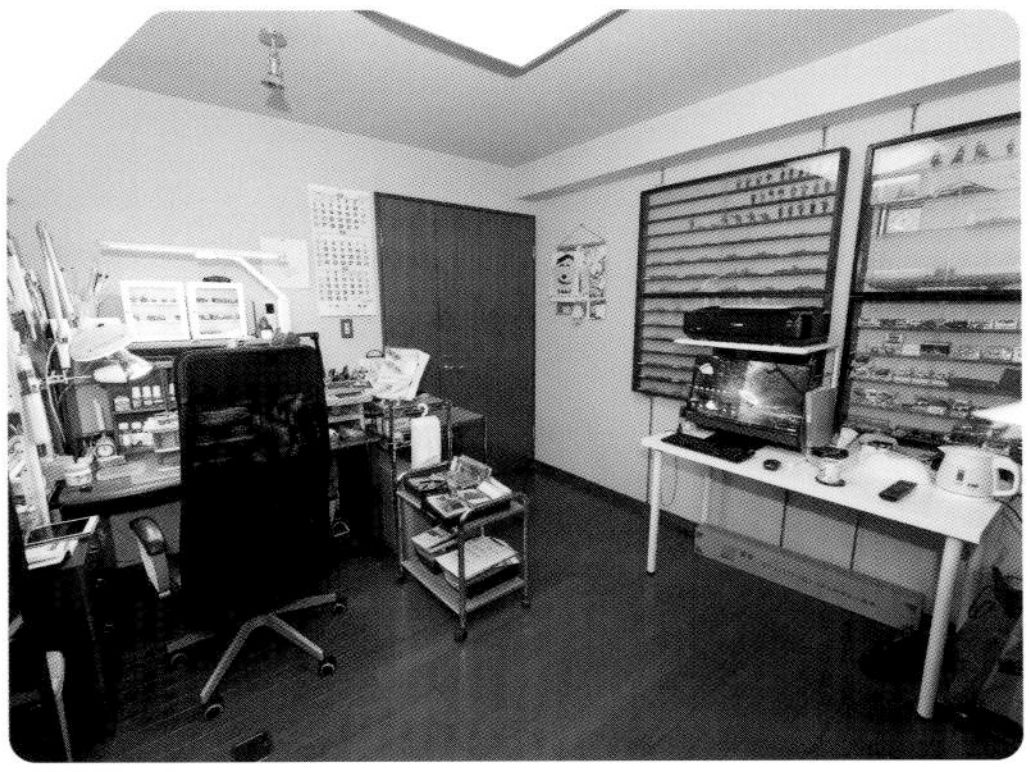

すべては1/700帝国海軍艦艇のため！

細密な艦船模型を製作することで世界的に有名な
R工廠こと笹原大さんの模型部屋は、非常に整頓されている。
この家はもともとは某玩具メーカー社長宅で、
この部屋は社長の書斎だったとのこと。
艦船模型しか作らない、という割り切りから完全に
特化した部屋の作りは非常に希有なものとなっている

笹原 大（R工廠）

子育てと転職をきっかけに模型製作を再開した出戻り組。本業は不動産関係の営業職。仕事の合間に帝国海軍艦艇を専門に製作している。帝国海軍限定の理由は、汎用パーツ系や製作資料などを集めるのに外国艦まで予算と手が回らないため。

コクピット？ここは現代の帝国海軍工廠です！

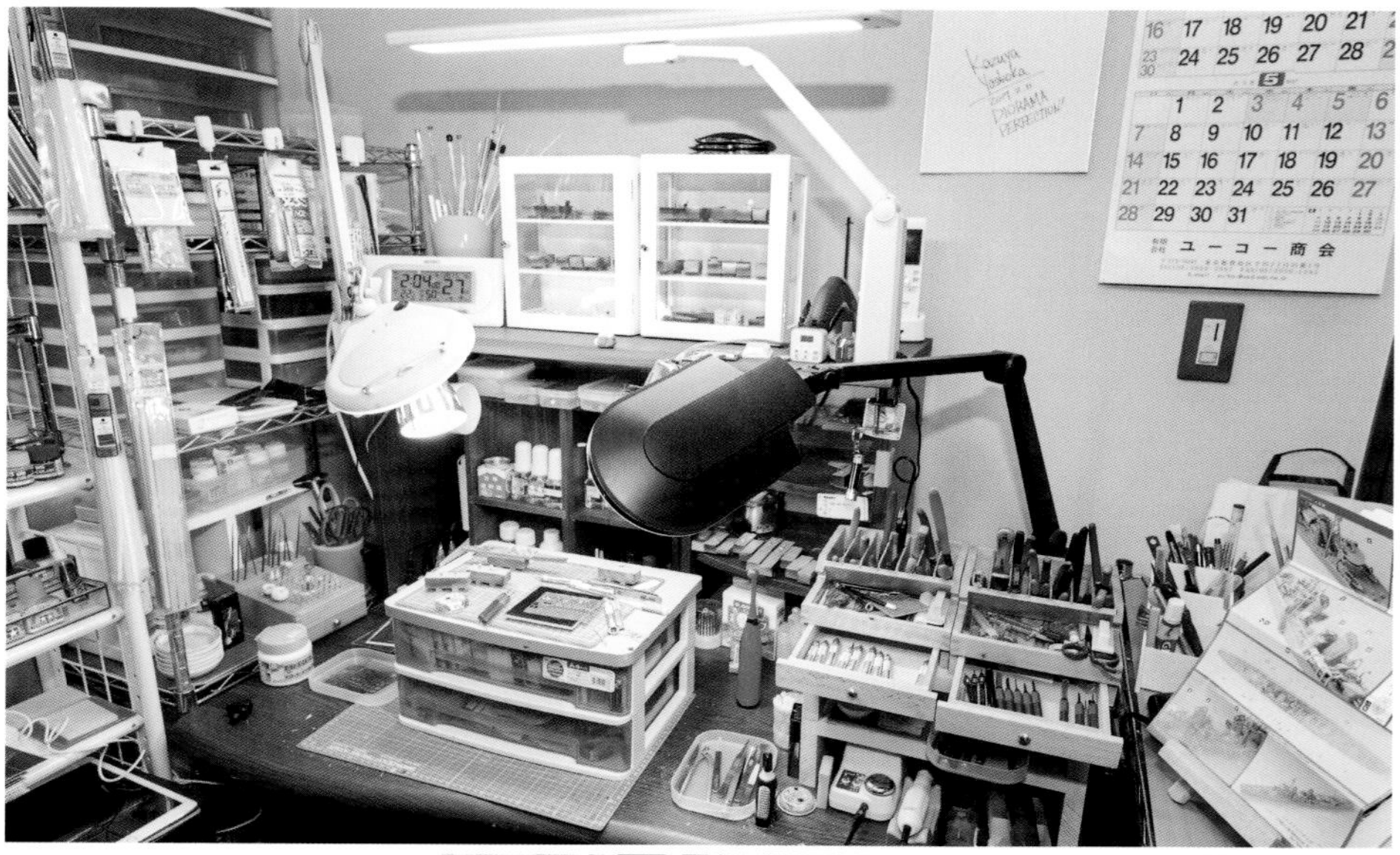

1 2 卓上にホームセンターで購入した2段の書類ケースを常設し、その上を作業スペースとしている。スペース自体は狭くなるが、工作対象物のほうを自分に近づけることで、無理な作業姿勢を強いられることがないという。1/700の艦船模型を肉眼で見ることができる限界以上に作り込む作風の笹原さんが、細微な作業を長時間続けるには、これが最適なセッティングだ。

1
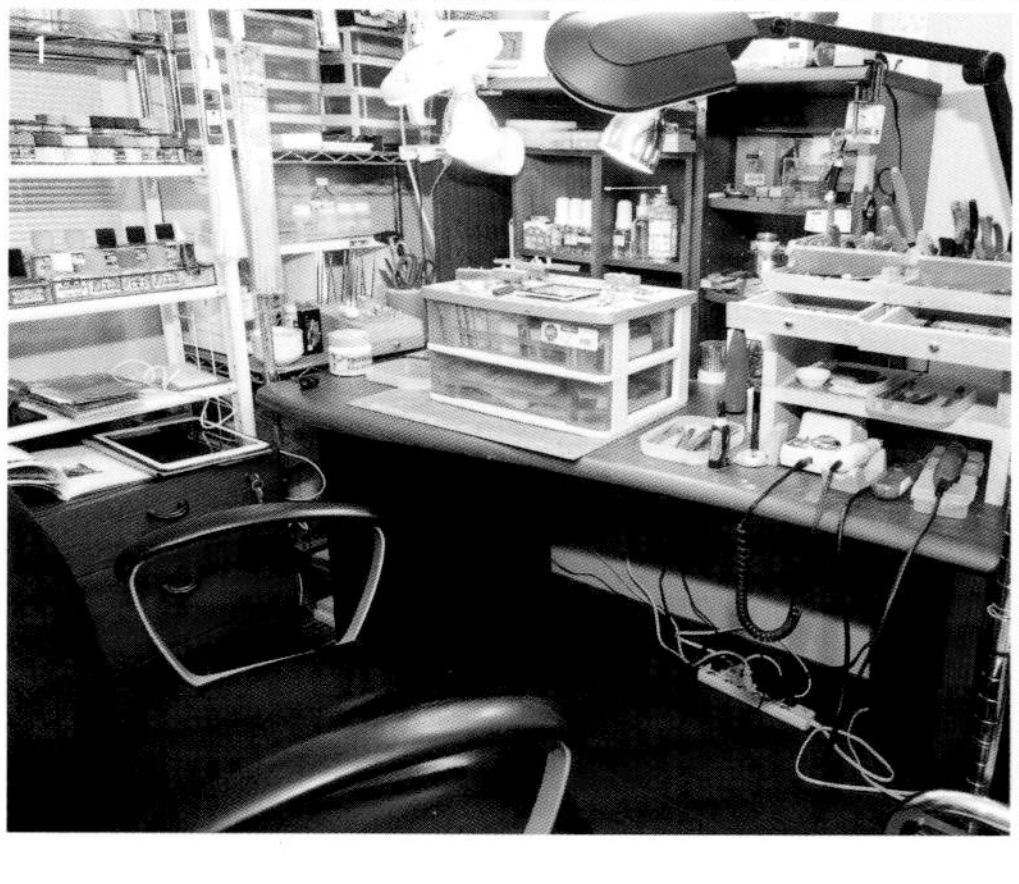

2

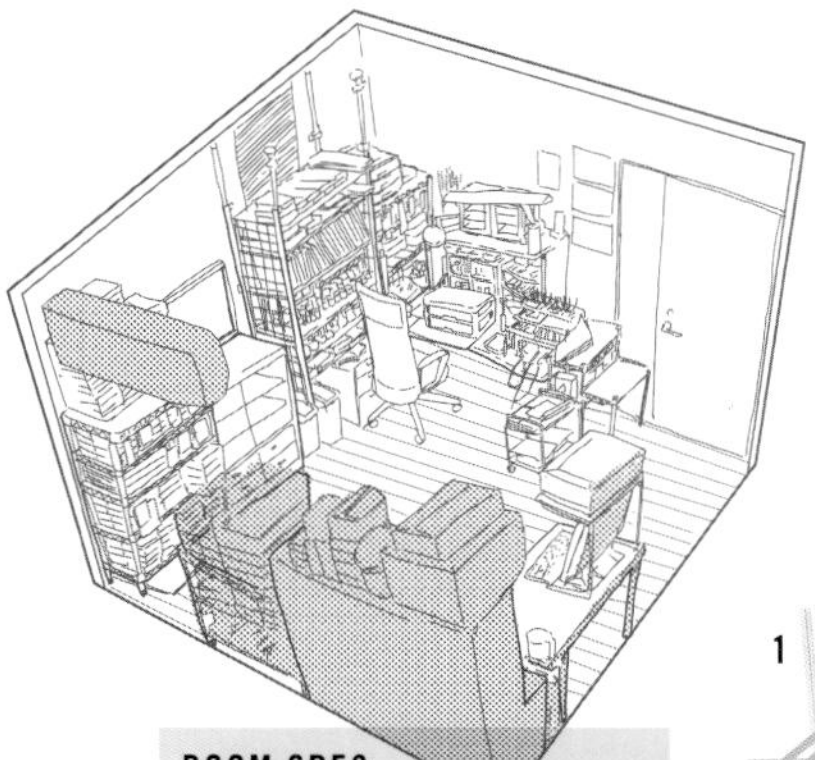

ROOM SPEC

- 場所：千葉県流山市
- 住宅形態：借家（戸建て）
- 築年数：25年
- 家全体の間取り：6SLDK
- 作業部屋の間取り：作業部屋8畳、塗装ブース6畳のうちの1〜2畳（共用物置きの一角）
- 家族構成：妻、長女、長男の4人家族

1 塗装は別室に塗装ブースを設置。塗装ブースは「タミヤ スプレーワークペインティングブースII ツインファン」。エアブラシはGSIクレオスの「プロコンBOY WAトリガータイプ ダブルアクション」0.3㎜と0.5㎜「Mr.エアブラシ カスタム」0.18㎜。コンプレッサーはGSIクレオスの「PS254Mr.リニアコンプレッサーL7」。**2** 模型用塗料は棚で管理。うすめ液類は、種類別にスポイト付きのガラス製の小ビンに移し替えてある。**3** エッチングパーツ類は大量に買い込み、ストックしてある。**4** ピンセット系は、時計修理職人御用達ブランドであるスイスのDUMONT製などを用途別に使い分けている。**5 6 7** 工具はインターネットショップ「ジーパーツ」で購入した木製スタンドに収納。このスタンドの下に木の台をセットして、頻繁に使うモーターツールやナイフなどを置いている。**8** ニッパーはゴッドハンド製がお気に入り。

「1／700の帝国海軍艦艇だけを作ろう」と決め、部屋の仕様を特化

中学卒業後は模型製作から遠ざかっていて、「老後に再開したいなぁ」と思いながらたまに雑誌やお店をチェックしていました。それが、転職と「インドアの趣味なら育児の手伝いをしてもらえそうだから」という嫁さんの目論みのお陰で、ふたりめの子供が生まれたときに再開させてもらえました。ただ、その目論みどおりマメに手伝いはしたのですが、3LDKの賃貸マンションの一室を模型部屋として占拠したため家族から嫌味を言われてしまいまして……。その後引っ越したこの家は部屋数が多く、一室（＆塗装用約半室）を占拠しても問題なし。雑誌に作例が掲載されたり模型製作の講師を務めたりするようになると仕事と認識され、現在は苦情や制限はいっさいなくむしろ協力的です、ありがたいことです。

とはいえ、まずは本業ありきだし、休日は家族との時間も大切にしたいし、親が深夜起きてると子供の教育上よろしくないし……、など考えると作業時間はかなり限られますし、好きに使えるとはいえ部屋の広さは決まっていますよね。そこで、「1／700の帝国海軍艦艇だけを作ろう」と決め（ごく稀に例外はありますが）、部屋の仕様もそのためだけに特化させました。

まず、精密模型製作に必要な明るさの確保です。この部屋は小窓がひとつしかなく、最初はそこから離れたところに机を置いていたのですが、明るさを求めて窓近くに机を移動させました。そして、机まわりにはライトを5つ装着。電球にはこだわりませんが、こまかいパーツを取り付けることが多いためわずかな影も気になるので、照射角度を変えやすいものを愛用しています。

作業台は、とにかくこまかい作業が多いので、背中や腰を丸め続けて痛めないように工夫しました。小さな台を机上に設置してそこを作業スペースとしていますが、これはスイスの時計職人の作業環境を参考にしたもの。対象物に目や手を近づけるのではなく、逆に対象物のほうを近づけるわけで、私はこのスタイルで腰痛知らずです。

次にタイムロスをなくすべく、必要なものは作業スペース周囲に集中配備し、道具もまとめて木箱へ。汎用エッチングパーツ類も各一式を車輪付きの台に揃え机の脇に置き、製作中すぐに取り出せるようにしています。1分1秒が惜しいので、必需品は切らさないようにまとめ買いを心がけていますが、とくにエッチングパーツは絶対に必要なうえに入手できるタイミングが不確定なので、店頭で見つけたら「あるだけいただくわ！」がポリシーです（笑）。■

ココがPOINT!

●ホームセンターで見つけた、メーカーも使用目的も不明な木製足付きまな板状のもの。ここにマスキングテープを貼り付けて極小パーツの取り回しを行なう

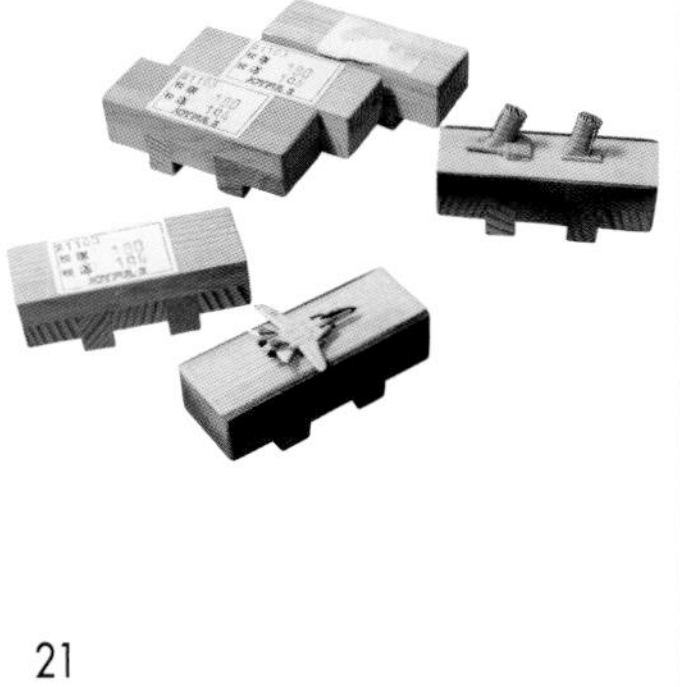

●一軒家のうち、四畳半程度のひと部屋を趣味部屋として確保。作業机を中心にすべてが手の届く範囲にレイアウトされている

Kuniyuki TAKEUCHI

限られた時間と衰えた体力。集中力と効率化を考えたレイアウトに

家族も独立し、自由気ままに趣味部屋を構築できるようになったならば、どういった部屋を作るだろうか？AFVトップモデラー竹内邦之さんは、日々の限られた時間を模型、油絵といった趣味にどれだけ有効に使えるかを考え、部屋を組み立てている。

▲引き出しにはニッパー類と金ヤスリを収納、トレーにはピンバイス、デザインナイフなどを入れている

竹内 邦之

1961年生。AFV専門誌『月刊アーマーモデリング』のトップモデラーのひとり。日本AFV界の最高峰といわれるキヤコンググランドマスターも受賞。模型三昧の人生を送ってきた生粋のAFVモデラーっぽいが、じつは出戻りで雑食モデラー

1 部屋中央のメインのテーブルには画材や筆が手の届く位置に収納されている。**2** 照明は天井照明と作業スペースの左右に1台ずつスタンドを置いている。電球はすべて蛍光灯。**3** 創作意欲を刺激するイラストやピンナップなどを集めて貼るコーナーを机のうしろに設けている

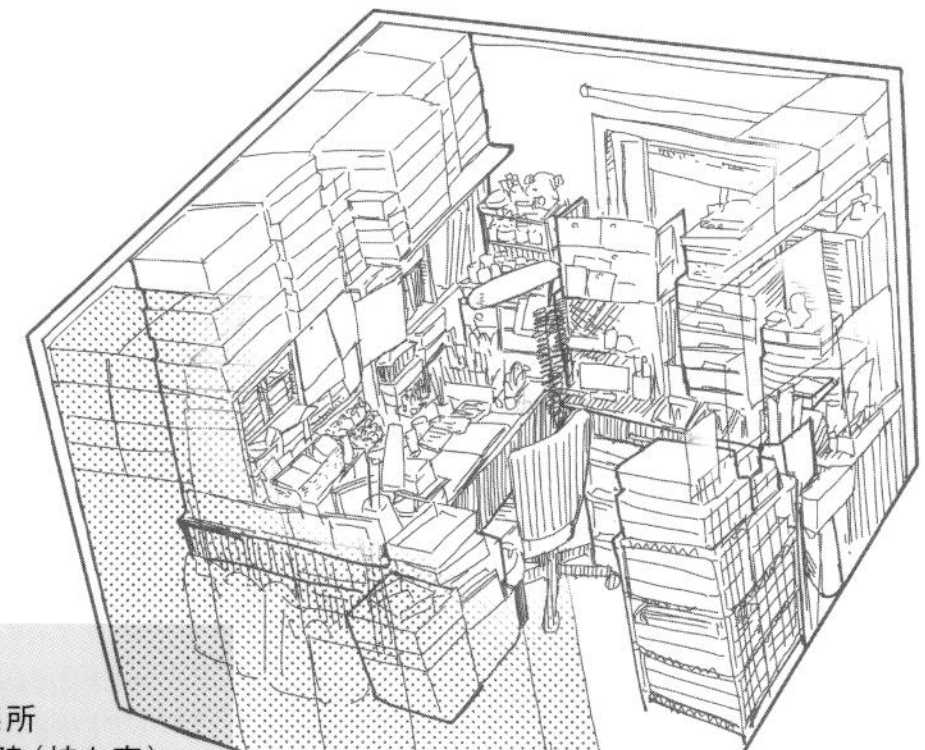

ROOM SPEC

- ・場所／千葉県某所
- ・住居形態／1戸建（持ち家）
- ・築年数／25年
- ・家全体の間取り／2階建て5LDK
- ・模型部屋の大きさ／4.5畳
- ・家族構成／自分のみ

1 入り口近くにはラック棚と引きだしを設置し、画材や各種マテリアル類を収納している。**2** 机正面の海外系塗料や溶剤などを収納しているコーナー。**3** 溶剤はケチャップなどを入れる容器に移し替えて使用している。**4** 大量にある筆はウィンザーニュートンなどのやや高級なコリンスキー筆か100円均一ショップ（またもや!）の筆かの二択。など。**5** 蛍光灯は工作時と塗装時で動かせる位置にセットしてある。**6** ニッパーはゲート用はグッドスマイルレーシングの「匠TOOLS 極薄刃ニッパー」、金属線切断用はミネシマの「D-20 ハードマイクロニッパー」を愛用。**7** プラケースの引き出しにはAFV関連の不要パーツなどを種類別に収納

模型製作と油絵制作、趣味に集中できる専門部屋

昔から変わらず、いまも家中でいちばん狭い四畳半程度の部屋で作業しています。いま思うと、所帯持ちがこういう独立スペースを持てたのはぜいたくだったかもしれませんね。子どもは独立し、現在はひとり住まいです。孫娘が来る日の前日は塗装を控えますが、基本的には誰にも気がねしなくていい状況。なので、狭〜いこの部屋に引きこもらずともいいのですが、あいかわらずこの部屋にこもって作業をしています。

私は本業はデザイン系の仕事をしている会社員ですので、睡眠時間の確保は年齢を重ねるにつれてます ます死活問題となってきています。なので、よほどのことがない限り「平日の作業は午前1時まで」を厳守しています。必然、帰宅してから寝るまでに取れる作業時間は限られてしまいますから無駄なく有効活用しなければいけないわけです。この部屋には模型と、嗜んでいる油絵を描くのに関係のないものはほとんどなく、「ここに入った瞬間からタイムロスなく作業に集中できるようにセッティングされています。そういう意味では、ちょっと仕事場的な要素の強い部屋かもしれません。

近年でいちばん変わったのは作業台の位置ですが、このレイアウト変更もやはり加齢によるところはあります。昔は「ロッカーに冷房なんかいらねぇぜ！」などと豪語していましたが（笑）、冷房なしの夏場の作業がどんどんキツくなり、ついにハメこみ式のクーラーを設置。それを機に窓際にあったメイン作業台の位置を変えました。そして、作業スペースを中心として、自分基準の使用頻度や用途、種類に応じた配置と収納を心がけています。

ただ、目新しい道具を試したり100円均一ショップで使えそうなモノを買うのが大好きな上に「これは使えないな〜」と思ったモノでも「いや、いつか使うかもしれない」と思うと捨てられない性分で、大量のモノが次々と作業台上に置かれていきます。結果的に実質的な作業スペースは60㎝×30㎝程度になってしまい、製作が佳境に入るとさらにその半分以下に。作業が一段落したところで収納するのですが、どこに何をしまったかを忘れてしまい、仕方なくまた購入してさらにモノが増える事態も頻出……。そこで、収納場所に中味を書いた貼り紙をしたり「どこに何を収納したか」メモをマメに残すようにしています。歳を取ると効率化を計る上で収納や配置を工夫するだけでなく、物忘れ対策も重要になってきますね（笑）。■

ココがPOINT!

窓際においてある塗装ブースはエアテックスの ブラックホール ツインファン。塗装時には裏の窓を開けて排気ホースをだして使用している

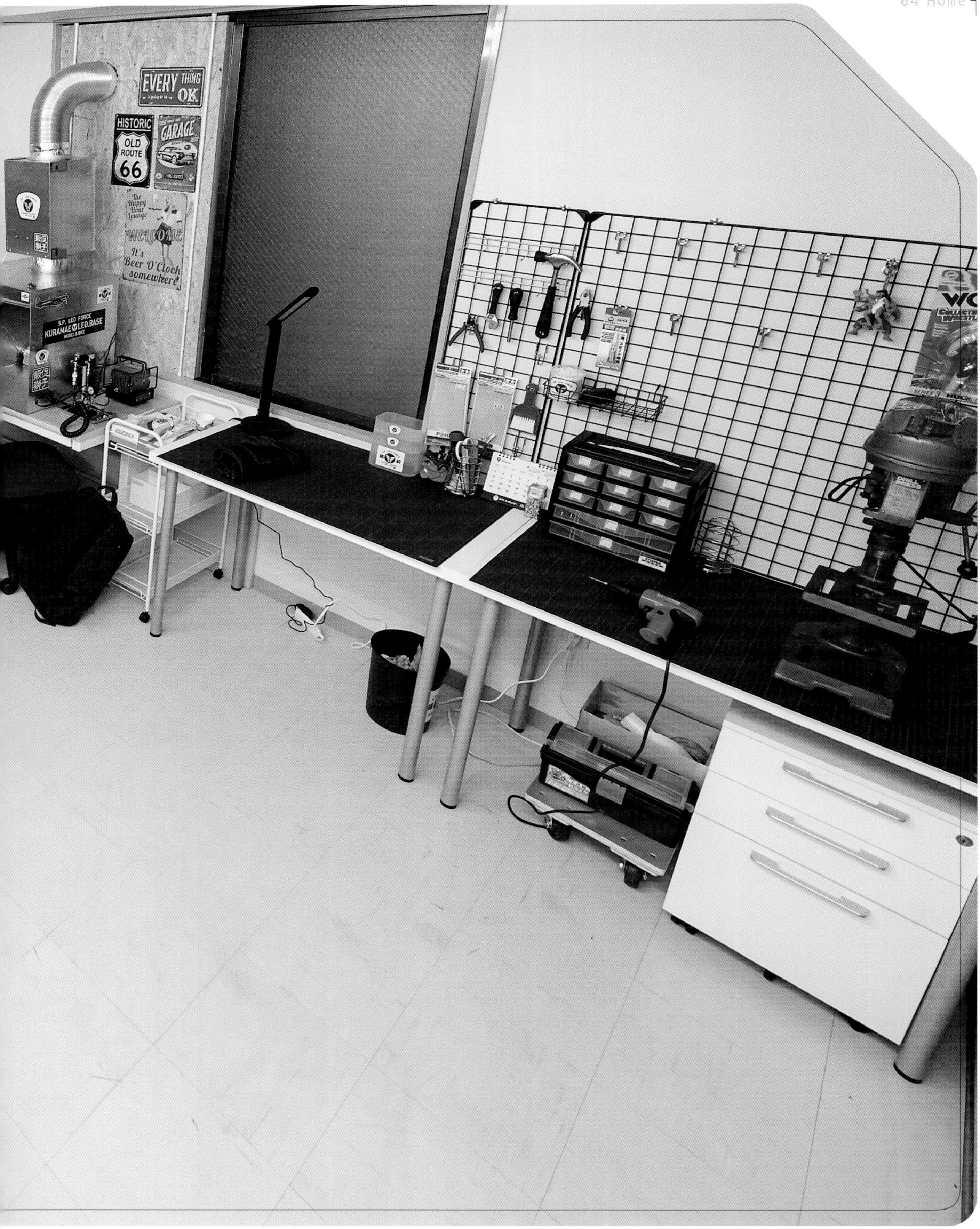

●会社倉庫の約半分がこの「レオベース」に割り当ててある。工具もそろえてありほかの社員がロードバイクのメンテナンスを行なうこともあるという。

Fuzzy

会社の倉庫の一角を陣取った
大人の贅沢な秘密機器
「レオベース」

会社の倉庫の一角を模型製作用スペースとして改修したこの物件。「自宅でやれないことを、全部やってみた」というだけあって、贅沢なほど広いスペースが確保されている。「会社のアトリエ」「保養所」とのことで、社員それぞれが楽しめる空間になっているという。

ファジー

'87年生まれ。神奈川県在住。元々趣味で作っていたプラモデルだったが、本誌作例と並行して、本業であるセールスプロモーションの営業としてプラモデルの塗装サンプルを製作することもあり、趣味と仕事の境界線が消えつつある。

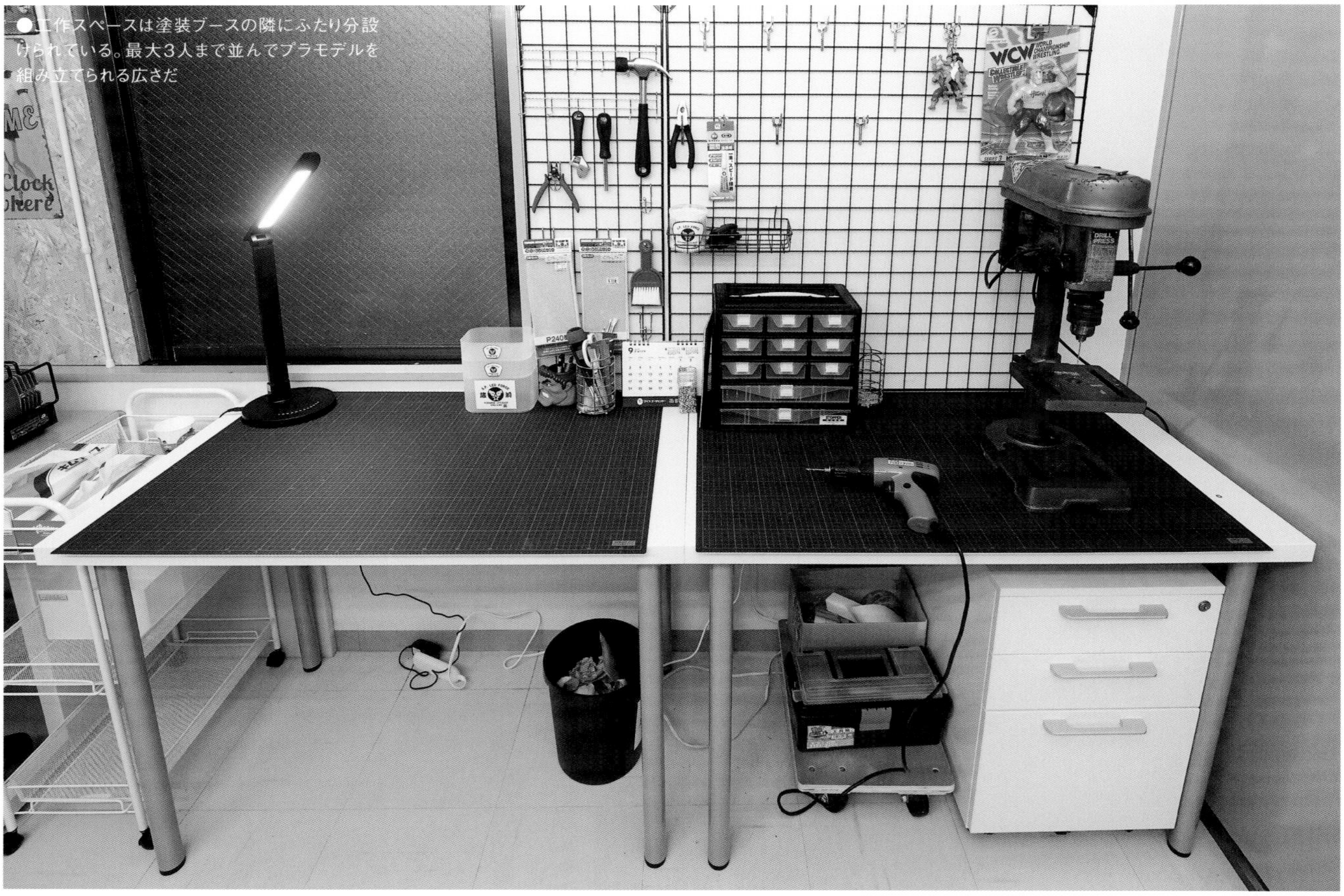

●工作スペースは塗装ブースの隣にふたり分設けられている。最大3人まで並んでプラモデルを組み立てられる広さだ

会社のバックアップが生んだ大人の秘密基地

1
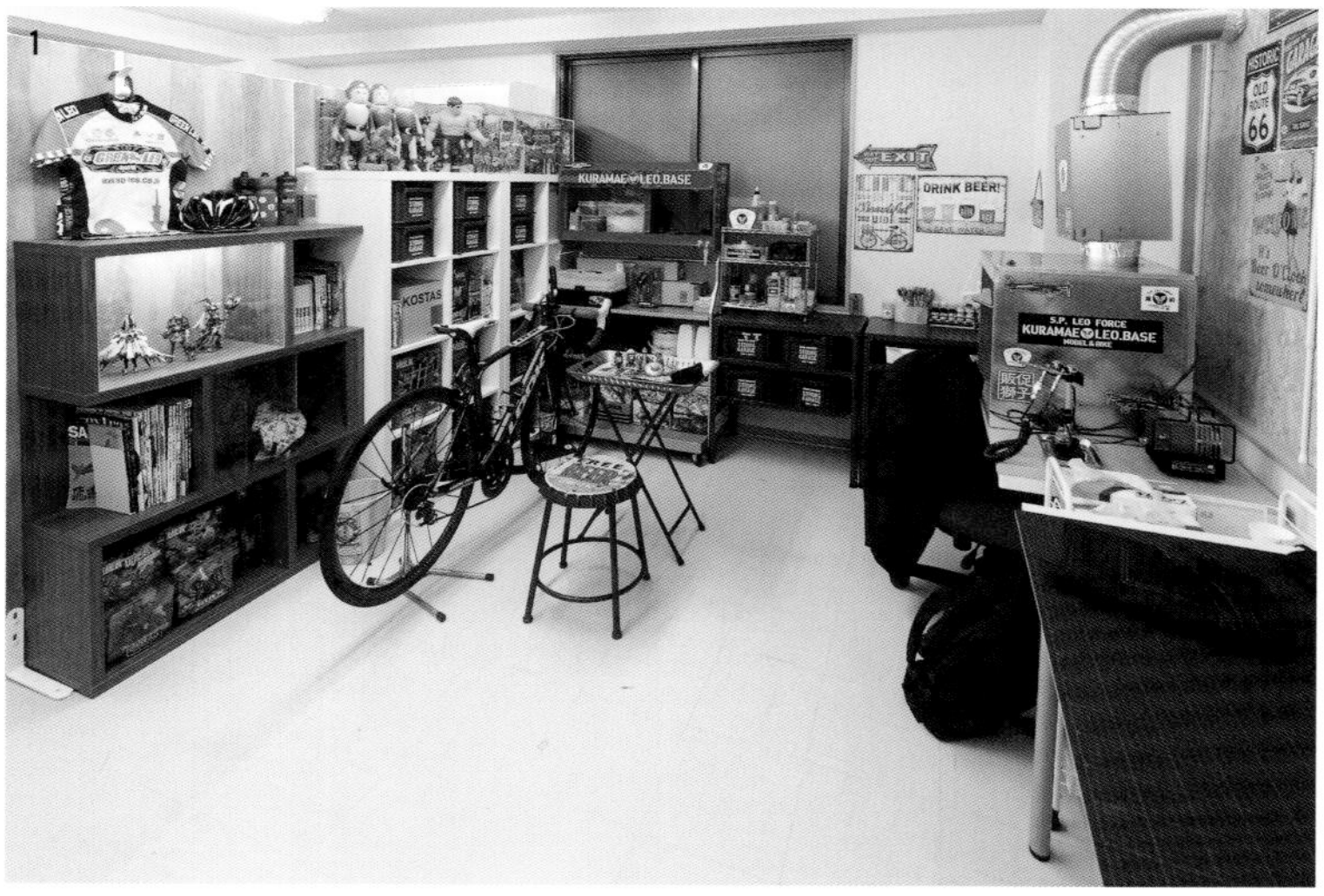

2
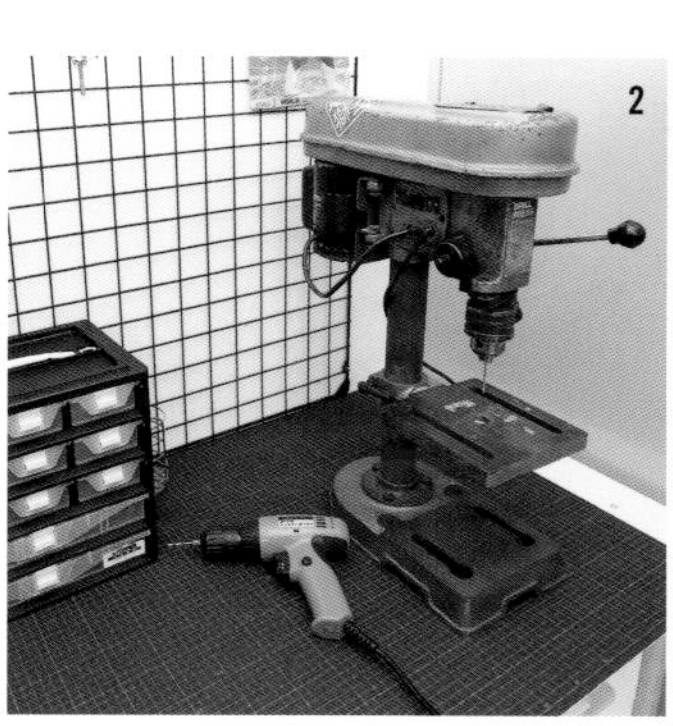

3
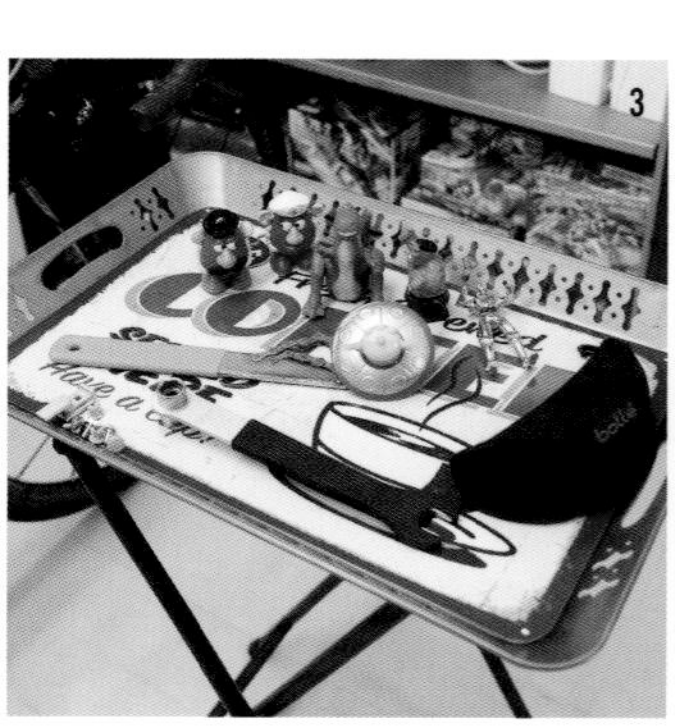

4

1 10畳ほどの区画に社員同士の好きなものをギュッと凝縮しつつ、それでいてきちんと整理整頓されている。**2** 大型のボール盤なども設置。おもにディスプレイの加工に使用。**3** ほかの社員が設置したテーブル。模型部屋に限定していないため、さまざまま小物が置かれる。**4** 上司が施してくれたという内装装飾

ROOM SPEC
・場所:東京都
・住宅形態:賃貸オフィス
・築年数:30年ほど
・家全体の間取り
・作業部屋:会社倉庫の半分

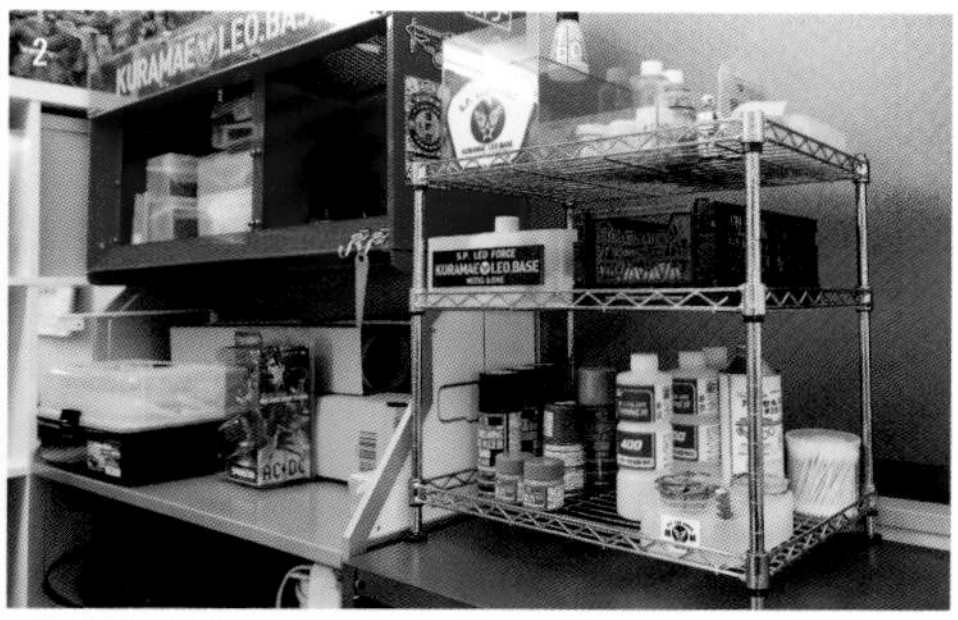

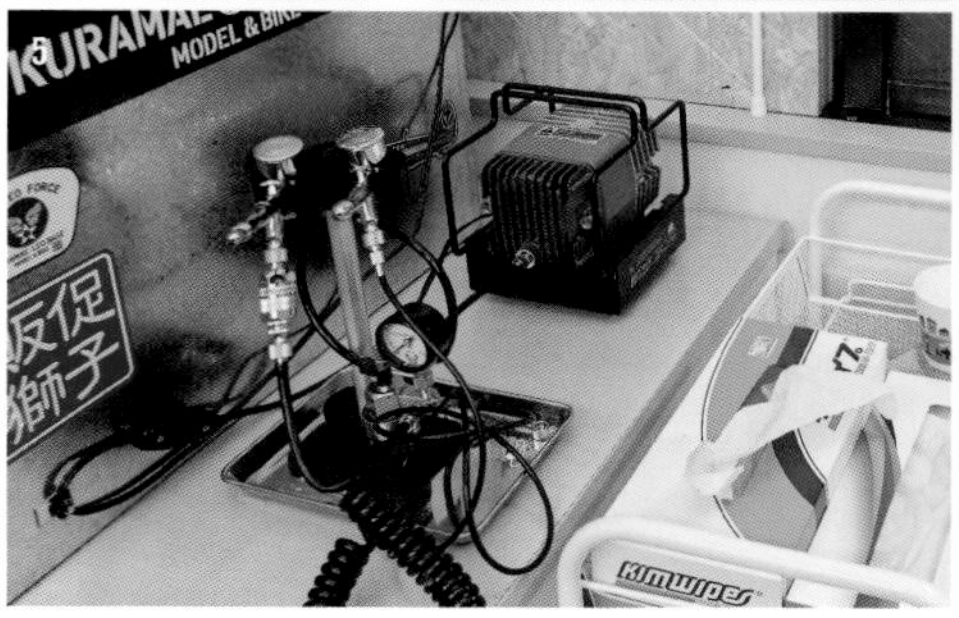

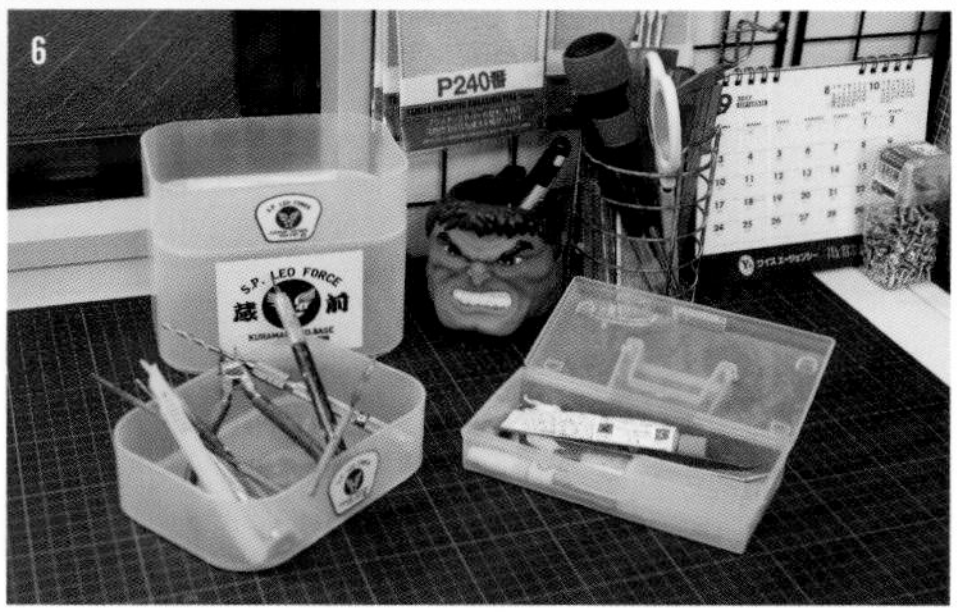

1 塗装ブースにはネロブースを設置。塗装時のミストや臭気がフロア全体に拡散しないようにとの配慮。**2** 塗料は共用のため、共有のうすめ液などの溶剤類はここにあつめて配置している。**3** 工具は基本的に毎回持ち込むスタイル。そのため、収納用の工具ネットにかけてある工具類は少なめ。**4** 持ち込み制の塗料だがだが、ホワイト、ブラック、ゴールドやシルバーといった「あると嬉しい塗料」だけは共有品として常備。**5** コンプレッサーはGSIクレオス Mr.リニアコンプレッサー L7を使用。ハンドピースはGSIクレオス プロコンBOY WAプラチナ0.3㎜ ダブルアクション。**6** 塗装以外の作業は基本的に自宅でこなすため、写真の8×15×3㎝ほどの筆箱に必要最低限の工具を収めて持ち歩いている

大人の贅沢が詰まった、夢の秘密基地を作りました。

この作業部屋「レオベース」は、僕が勤務する会社の倉庫を改修して作られた、社員用のアトリエです。

弊社は主に店頭販促物の製作を専門とする広告代理店で、プラモデルを商材に扱われるクライアントさまもいらっしゃるので、店頭展示用の作例を製作させていただくことがあります。またわが家に子供が産まれたことをキッカケに「だったら、もう本格的な作業部屋を作ろう!　おまえはそこで塗れ!」という会社の厚意(?)からレオベースは生まれました。

部屋のコンセプトは「自宅でやれないこと、全部やってみた」で、僕だけではない社員たちの願いが詰まった構成となっております。

立地は東京都、蔵前の一角で、フロアの半分を弊社の仕事を請けていただいているLED工場とシェアしてます。溶剤のニオイがそちらに行かないように配慮しネロブースを導入しています。

塗装ブースの外、左手側の卓で調色し、ネロブースで塗装、そのまま山善の乾燥機に入れる、というカンジでこぢんまり塗装できるようにしています。

ここは僕以外の社員も使うので、塗料は各自持ち込み制にしていますが、ホワイトやブラックなど「あると嬉しい系塗料」だけ常備しています。

塗装ブースの右隣は工作スペースになっております。僕は自宅で組み立てから表面処理まで行ないますが、ほかの社員がフラッと立ち寄ってプラモデルを作れるよう、基本の工具はそろえております。

大型のドリルは、プラモデルではなく本業の方で主に用いますが、簡単に台座に4㎜穴を空けられるので、僕も時々使っています。背面のアクリル板つきの棚には、これまで担当した僕の作例や趣味のプラモデルを展示。照明用のLEDは隣の工場のおじいちゃんにぴったりサイズのものを用意してもらいました。その隣の白い棚には自転車整備用の工具が入っております。弊社は趣味でロードバイクに乗る社員が多いので、自宅ではできないメンテナンスなども行なうことができます。

模型用のスペースは自分がレイアウトして棚なども組み立てましたが、上司が内装の装飾などをしてくれたので、僕のセンスにはない、洒落た雰囲気の漂う作業部屋になったと思っています。

このようにレオベースは模型製作だけにとどまらない、「大人の秘密基地」を目指して作ったのですが、つい入り浸ってしまうので、誘惑を振り切って、なるべく早く帰るよう心がけています。■

ココがPOINT!

●作例は共用の収納スペースの一部を借りてディスプレイ。展示スペースにはLED照明が仕込まれているうえ、アクリル板がハメられており、まるでショーケースのよう

●部屋の一角に設けられた作業机はいたってシンプルな構成。工作スペースと塗装スペースを完全に切り分けて作業の効率化を図っている

Hiroshi SUMI

「スター・ウォーズ」撮影用モデルに
使用されたプラモデルパーツを
解析する研究者の作業場

部屋にズラリと並べられた書類ケースは、解析済のプラモデルの流用パーツの整理棚として使用。撮影用モデルに使われたパーツを切り出して分類、保管している。写真は『スペース1999』に登場する「イーグル号」の撮影用モデルに使われていた市販のプラモデルパーツ

世界的な『スター・ウォーズ』撮影用モデルの研究、解析者である鷲見博さん。モデラーでもあるため、工作、塗装の道具や環境を自宅に揃えてはいるものの、彼の部屋の真骨頂は、その解析のためにそろえられた圧倒的な量のプラモデルキットである。

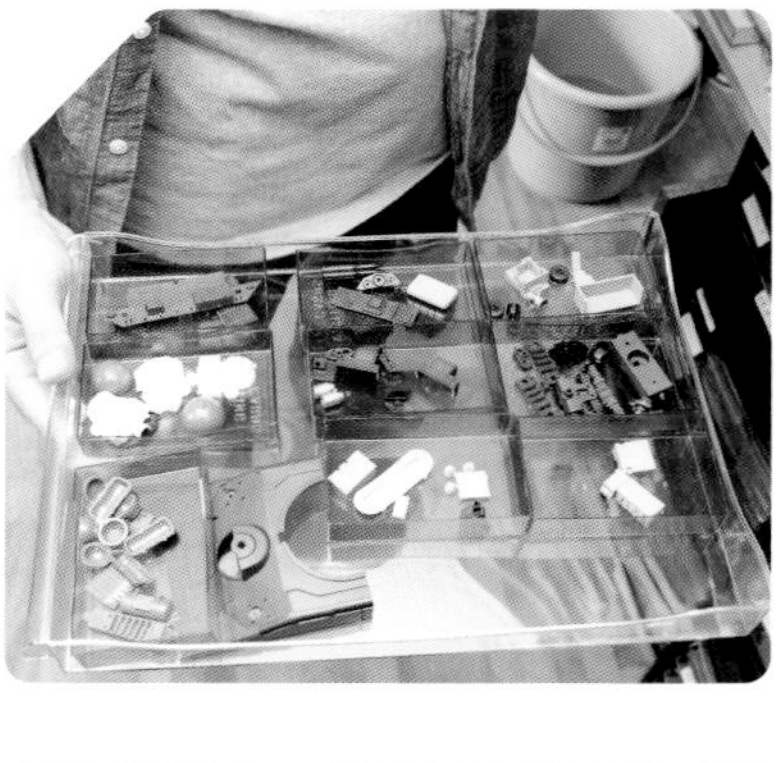

鷲見 博

'69年生まれ。大阪府在住。会社員のかたわら『スター・ウォーズ』を中心に撮影用モデルに使用されている流用パーツ解析を続けている。近年のBANDAI SPIRITS製『スター・ウォーズ』プラモデルの開発にも大協力。「西の高橋清二」とも

作業机は古いテーブルを台座にのせて脚をかち上げて使用している。

1 プラ棒やエッチングパーツなどのマテリアルは整頓し、在庫している。**2** いただき物の集塵機を机下に設置し卓上にホースを設置。研磨作業時には威力を発揮するので重宝している。**3** テーブル横の書類入れにはノミやラインチゼルのほか小型のノコギリなども収納している

[模型部屋]

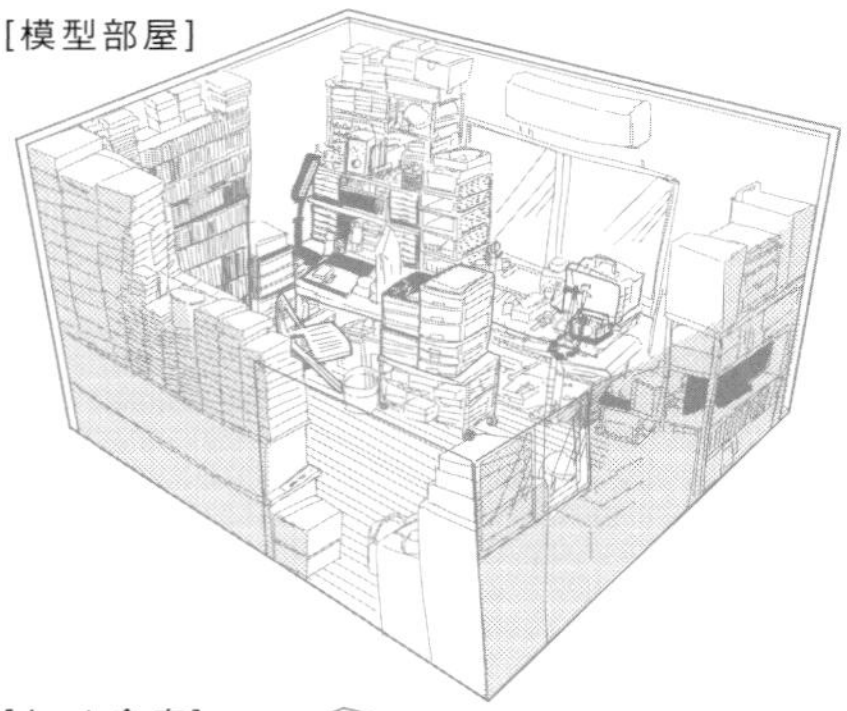

[キット倉庫]

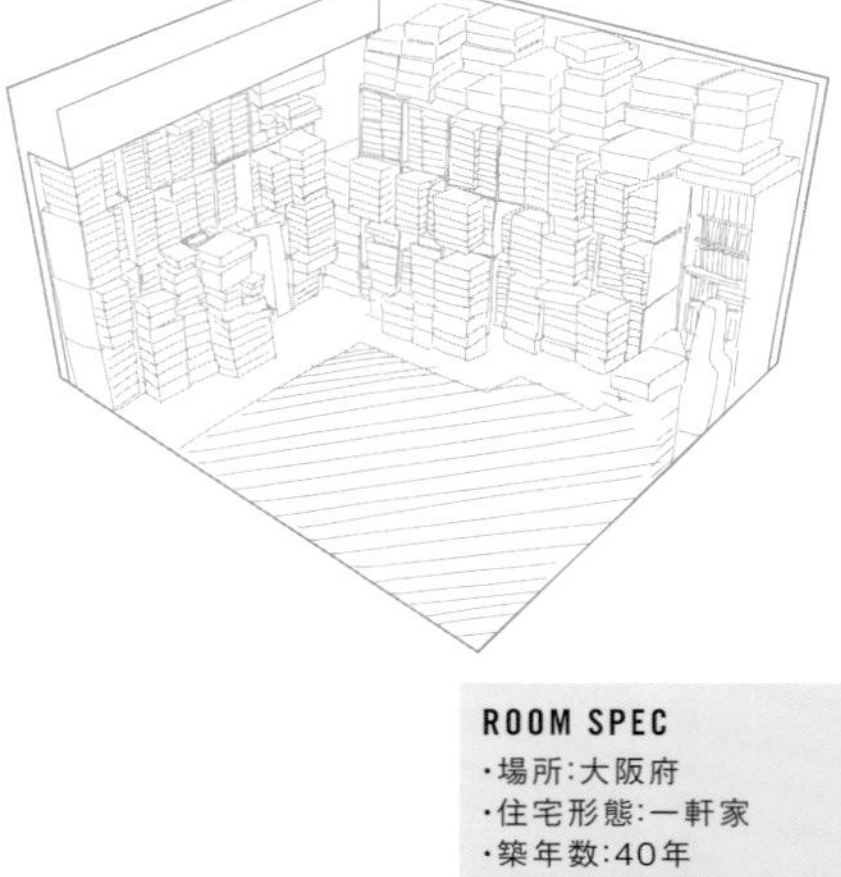

ROOM SPEC
- 場所:大阪府
- 住宅形態:一軒家
- 築年数:40年
- 家全体の間取り:5DK
- 作業部屋:6畳
- 家族構成:本人

1 倉庫の壁一面にはまずダンボール棚が設置されており、タミヤの1/35MMシリーズ、ハセガワの1/72レオポルド、カールなど4〜6個ずつ保管。注目はグリップ製1/8ポルシェ・カレラ。スレーヴⅠの翼に使用されていることで有名だ。**2** ダンボール棚をよけると本棚が出現。こちらにはミレニアム・ファルコンのアンテナのディテールにも使われながらも貴重な絶版キットとして有名なオーロラ製シーラブⅢが10個以上鎮座。レベル製1/540コーラルシー（とその同型艦）も10個以上ストック。**3** 倉庫のもう一方の壁にもダンボール棚が設置され、そこにもタミヤの1/35MMシリーズが鎮座。その上にはバンダイ製1/48のAFVシリーズが大量に保管されている。**4** そしてそのダンボール棚をよけると、奥にはバンダイ製1/15フンメルや1/15 4号戦車のほか、同バンダイ製1/24キングタイガーや1/24ヤクトパンター、そしていまでは貴重な金型改修前のバンダイ製1/24 M60が保管されている

倉庫には流用パーツの元キットがずらり！
見つけたら買う！が高じてこの在庫量！

私は、「スター・ウォーズ」を軸にプロップモデルに使用された流用パーツの解析をしているのですが、その解析方法は、ただひたすらアタリをつけた当時の古いキットをインターネットオークションなどで手に入れ、中身を検分するというものです。おかげで対象となるキットが家中にあふれてしまい、まともな暮らしができません。現在は倉庫を利用し、なんとかスペースのやりくりをしはじめている最中です。

流用キットは、たとえば「ミレニアム・ファルコン」に使われたキット群なら3機作れるだけ集めたいところ。持っているキットでも、名キットといわれるものはオークションに出品されるたびに落札しています。エアフィックスの1／144 サターンV、バンダイ1／48パンサーG型、レベル 1／540 コーラルシー（とその同型艦）、タミヤ1／35 ドイツ8輪重装甲車、1／35 ドイツ20㎜4連高射機関砲38型あたりは恥ずかしくて口に出せない量があります。なお、バンダイ1／48パンサーG型は『スター・ウォーズ エピソード4／新たなる希望』で多く利用されたキットで、ILM（当時）の棚に少なくとも20個は積まれていました。なので20個以上の所有が理想です。私の最多所有はYウイング・スターファイターなどに使われたパンティストッキングの卵型ケース（レッグス）で、驚きの100個以上あります。オーロラ社のシーラブⅢといういまではレアなキットもミレニアム・ファルコン（大型モデル）に4キット使用されていました。ですので、少なくても12個は確保したいところです。

パーツ解析は20年前、タミヤ製品を集めることから開始。1／35戦車、1／12F1は購入するたびに新パーツ発見の連続だったのですが、ひと通り買い進めたところで息切れ。収集は海外メーカー品へと拡大するのですが、解析率が高まるほど、パーツ発見はより困難になります。そんななか、苦労してパーツを発見するとそのキットを必要以上に買い集める癖ができてきました。

たとえば、ニットーのノンスケールの戦艦大和（ゴム動力）は1キットでミレニアム・ファルコン3機分の部品を供給してくれる名作で、かつオークションになかなかでないレアキットなのですが、オークションに出て未入札の場合、大枚をはたいてでも必ず落札。いまではミレニアム・ファルコン何台分？ってほどにあるのですが、心配するなかれ、海外の研究家から「このキット持ってる？」と時折連絡がくることがあり、提供したりしています。

流用パーツの解析方法にはいくつかの手法と困難度レベルがあります。もっとも難しいのは、プラモデルではない部品解析でしょう。またハン・ソロのカーボンフリーズの側面に制御盤のようなものがあるのですが、同部品はボルボ車のスピードメーターが利用されています。

一方、プラモデルの解析では、これまで利用が知られていなかったメーカー品を見つけるのがとても困難です。私の発見では、エルエスなど数社の国内メーカーや鉄道模型のグラントラインの製品からの流用パーツの発見が自慢です。こうした流用パーツ情報は、マニア間で国境を越えて活発に情報交換されています。アメリカで開催された「スター・ウォーズ・セレブレーション」に行った際、会場で出会った有名モデラーに「この部品は私が発見したんですよ」と話すと「お前だったのか！」と急にフレンドリーになり親切にしていただきました。

さて、そういった活動を自宅だけでやるには限界に達し、問題を解消しようと夢の倉庫を借りて、引っ越しをはじめた次第です。すべては撮影用モデルを作るための活動なのです。倉庫はいつの日か夢の工房に変貌するのです。■

ココがPOINT！

ILM研究に熱が入りすぎ、とうとう当時のILMで使われていた灰皿をeBayなどで購入

●撮影時には『スター・ウォーズ』のミレニアム・ファルコンに使われた流用パーツを仕事でひとしきり引っ張り出したあとだったとかで、より一層在庫が崩れた状態だった

Seiji TAKAHASHI

世界的「スター・ウォーズ」撮影用モデル研究家の自宅は資料で溢れていた

1 大きいタイ・ファイターの翼はマスター・レプリカ社のものでスタジオスケール。**2**『エピソード5／帝国の逆襲』に登場したバウンティーハンタードロイド「IG-88」や、カンティーナのバーカウンターの装飾に使われた英国ジェット機エンジン内のチャンバー。高橋さんの自宅にはこんなものまで置いてある

こちらも世界的な『スター・ウォーズ』撮影用モデル研究家、高橋清二さんの自宅。模型の完成品製作や原型製作を本業とするため、本格的な工作施設があるとおもいきや、その部屋は完全に整理されずに在庫キットが詰め込まれ驚くべき様相を呈したものだった。

高橋 清二

世界的な『スター・ウォーズ』カリスマプロップ研究家。SF模型だけでなくプラモデル全般、とくにスケールモデルには目がない。メッサーシュミットも艦船も現用戦車もなんでも大好物。古いキットのコレクターでもある

▲簡単な工作ならこなすことが可能と語るパソコン机の前のスペース。それでもナイフや接着剤、資料本が散乱している

二階の3部屋はすべて模型で埋まっている

▲かつては資料キットを棚詰みにして収めていた二階の中央の部屋は大量の在庫キットを詰め込み続けた結果溢れ、とうとう人が入ることができない状態になっている

▲一階に続く階段も大量の在庫キット、サンプル品などで埋め尽くされている。仕事柄手がげた製品のサンプルが大量に届くため、その整理に苦労しているという

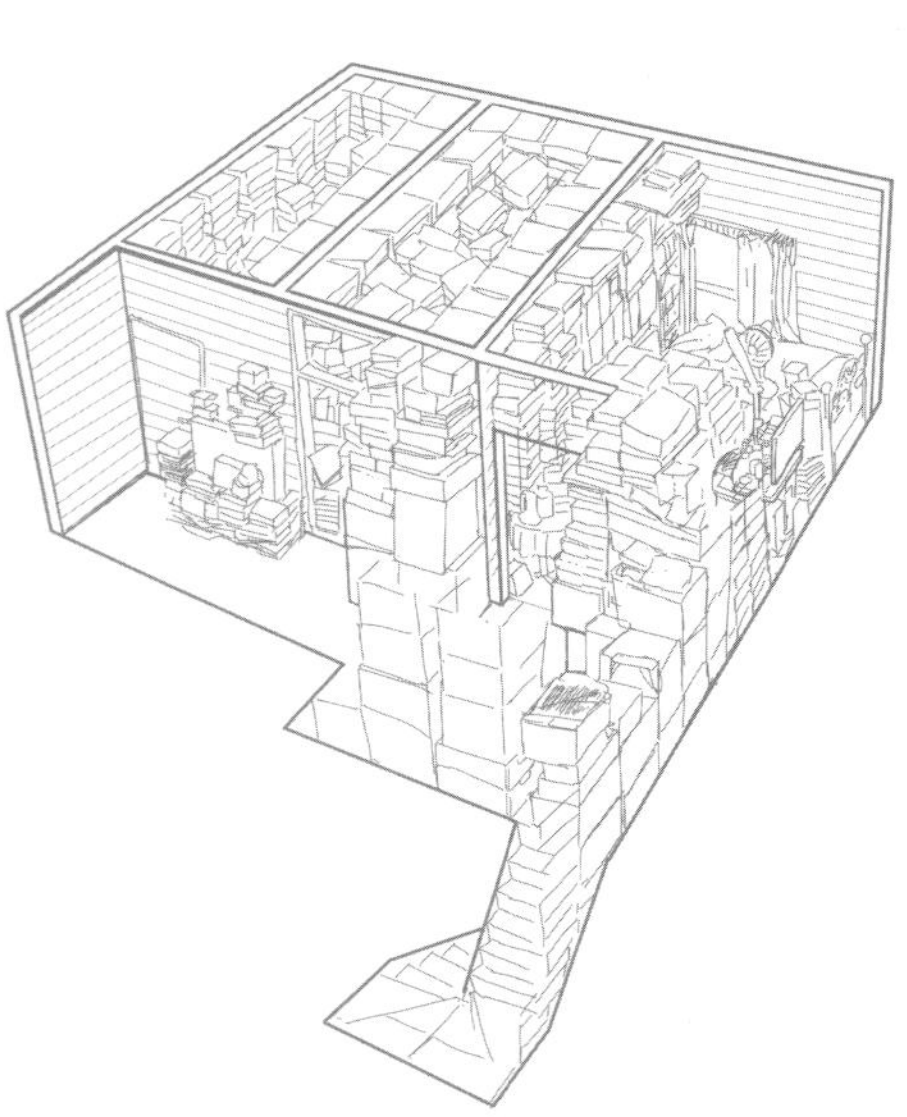

ROOM SPEC
・場所:千葉県
・住居形態:一戸建て
・築:30年
・間取り:2階の3部屋
・家族構成:両親・兄と同居

1 作業場のある2Fへ上がるための階段を下から見た様子。デアゴスティーニ製の「ミレニアム・ファルコン」全100冊と「1/2R2-D2を作る」が置かれている。2 部屋の反対側の壁も在庫キットが堆く積まれている。3 乱雑に置かれたキットのなかにも貴重な『スター・ウォーズ』関係の資料写真が無造作に保管されている。4 自宅の玄関にもキットや完成品などの模型関連の荷物が積まれている。5 二階の廊下にもキットが散乱。しかしどこに何があるかは、あるていど把握しているという

◀海外の『スター・ウォーズ』関連プラモデルも資料として購入している。

原型製作、完成品製作などの仕事は別室で

本来このページの趣旨からいうと工房をお見せするのが道理でありますが、現在そこはいろいろと大人の事情で見せられないものが多く散乱しており公開はご勘弁な状況で、パソコンで作業している自宅なら「準備の時間をいただければなんとかOK」と返答。工房からちょっと工具を持ってくれば、なんとかページとしてサマになるかと思案……。そのあと「カメラマンと相談して撮影日が決まったら連絡します」と担当から連絡がきて、了解の返事をして1週間ほど経過、次に携帯に来た連絡は元気いっぱいに「あと30分で着きます」。私「えっ、撮影日って今日だっけ？」「今日ですよ、ちゃんと連絡しましたよ」「えっ、連絡もらったっけ？　ま～もう来てるなら仕方ない」と、無理やり承諾。あとで携帯とメールを確認するも、連絡がきていた形跡はなし。やはり連絡来てね～じゃんかよ！　という状況のなかで、今回は恥ずかしながら自宅兼仮作業場の紹介です。

もともとこの部屋はハワイに嫁に行った妹が使っていた部屋で、めったに帰ってこないだろうと、じわじわと在庫のキットで浸食。しかし、なぜか年に4、5回も帰ってくるので（日本の食料調達が目的）そのたびに部屋から在庫を一掃してましたが、さすがに近年は在庫の増加やキットの移動などでそれもできなくなり、ゼニで買収してなんとか部屋を使わせてもらってます（泣）。くわえて妹の隣にあった弟の部屋と、その隣にある自分の部屋もキットで埋まっています……。

現在、別の場所にある工房のほうは塗装仕事が中心で、12時間ぶっ通しで塗装なんて状況もあり、換気扇があるとはいえさすがに部屋はミストで満ちた状態になります。そこでのパソコン仕事は無理だろうとパソコンは自宅のこの部屋に移設。完成品製作など、工具を持ち込み、キーボードの上にカッティングマットを敷きこちらで作業しています。使う工具は決まっているので、小さめの工具箱2箱とカッティングマットを持ち歩けば、どこでも作業は可能です。とくに特別な道具等は使ってませんが、おもに使うヤスリは日曜大工センターなどで金工用のものを大、中、小と揃えて買って使っており、これプラス仕上げ用のヤスリとして魚地球製の精密ヤスリ（大、小）を使っています。

パーツの合わせ目消しやパーツの補強等に関しては、歯科用レジンの粉末剤「タフロン・リベース」に瞬間接着剤を混ぜて使用しています。似ている材料に「プラリペア」がありますが、タフロン・リベースはもともと溶媒と混ぜて義歯を作る材料なので、ともかく硬い。プラスチック用のヤスリなど歯が立たないくらい硬いので、前記した金工用ヤスリで削っています。知り合いには必ず教えるのですが、「硬過ぎて使えないよ！」と言われる始末です。リベースに伴い瞬間接着剤も大量に使うので、こちらも20g入りの大型のものを5個まとめて「藤倉応用化工」から通販で買ってます。ここはジクロロメタンやいろいろな材料（クリ裁の上質白ウエスもお勧め）が買えるので、一度覗いてみると便利ですよ。■

ココがPOINT!

歯科用レジンキャストの粉末剤「タフロン・リベース」。これと瞬間接着剤の組み合わせを非常に気に入っており長年愛用している

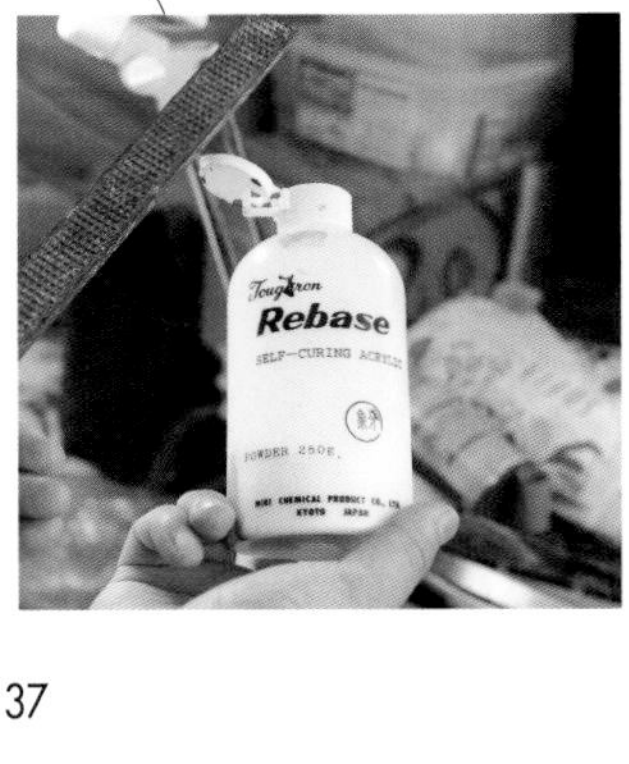

●工事現場などで簡易事務所などに使うユニットハウスを庭先に配置。照明、エアコン、暖房を完備した完全独立型の模型部屋だ。約30万円で中古で購入

POOH KUMAGAI

北海道ならでは
広い庭にユニットハウスを置いて
専用の模型部屋に

プロモデラーとして活躍するPooh熊谷さんは、数年前に自宅を購入した際、無理に自宅内に模型部屋を設けず、ユニットハウスを購入し庭先に置いて模型部屋としている。仕事場でもあるこのスペースの使い勝手について伺ってみた。

POOH 熊谷

『月刊モデルグラフィックス』2007年4月号MG Hi-νガンダムの作例でモデラーデビュー。ガンプラ作例を主に手がけ、アイマス機、ガルパン、アルペジオを経て、現在はAFV専門誌『月刊アーマーモデリング』、飛行機模型専門誌『スケールアヴィエーション』誌にて活動中

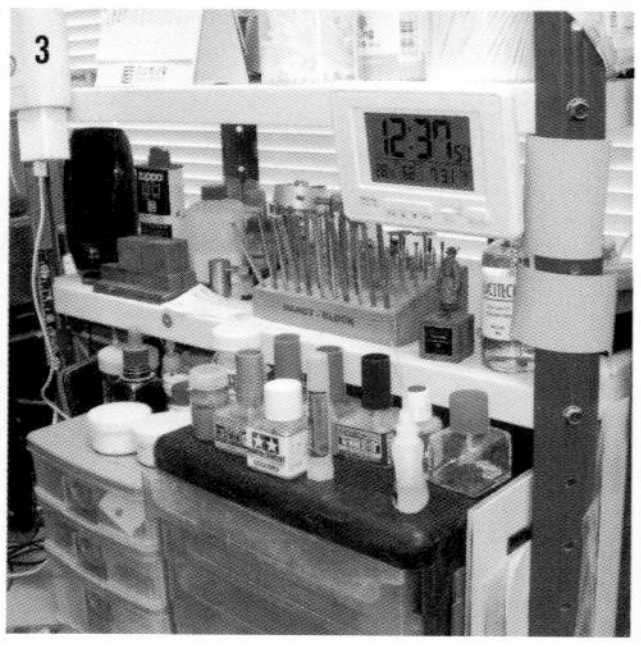

1 幅が2mを越す大型机を作業台としいる。**2** 部屋の奥にはテーブルの高さにあわせて、壁に直接換気扇を設置。ウレタン材などで仕切っているだけだが、充分な換気が可能で、缶スプレーも吹けるという。**3** 道具類は卓上に設置した整理棚にまとめている。**4** ライトは室内灯のほか、ルーペ付きのテーブルライトを使用。机の一部にはこのテーブルライトが刺さる穴を準備し、必要な方向から手元を照すことが可能だ

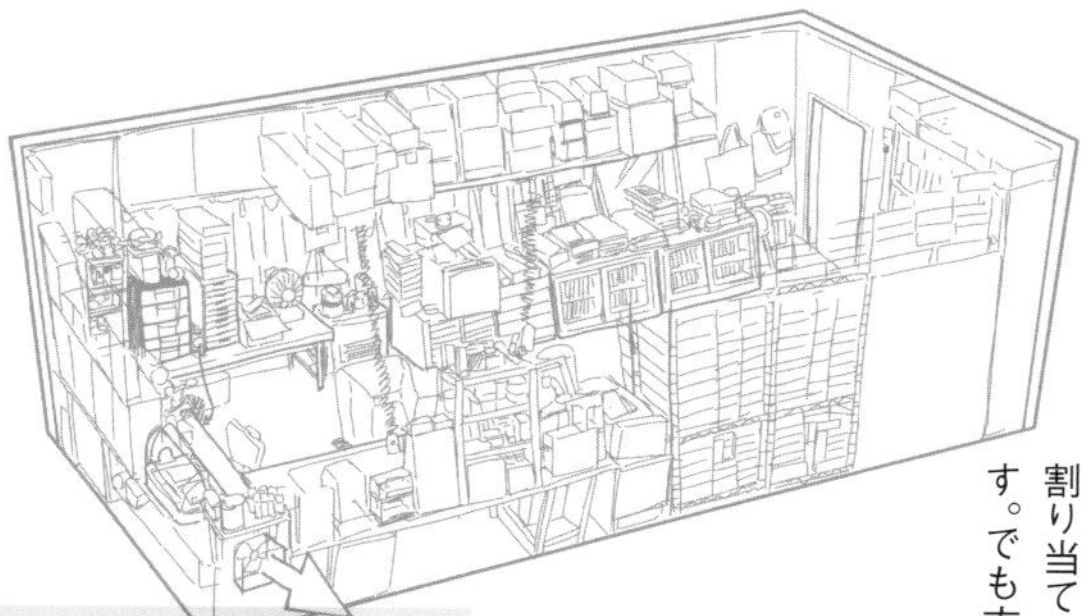

ROOM SPEC

- ・場所:北海道芦別市
- ・住居形態:一戸建て住宅
- ・築年数:23年(8年前に中古で購入)
- ・建物全体の間取り:5LDK
- ・模型部屋の間取り:7.2m×2.4m(約12畳)
- ・家族構成:妻、子供3人

職業モデラーとして必要なものがすべて揃った城

模型部屋を製作したのは3つめ。ひとつめはまだサラリーマンだったころ住んでいた一戸建ての裏庭に物置を建て、その半分のスペース(約4畳)を使っていました。作業台をDIYで製作し、作業台と同じ高さに換気扇を取り付けて塗装ブースにしたりと、かなり凝ったつくりでしたが、いかんせん狭かった……(笑)。また冬は、降り積もった雪をかき分けながら家の裏まで回るのが結構きつかったですね。

ふたつめはその戸建てから実家に戻って移り住んだとき。2階の8畳間をもらい、畳を剥がして土足仕様、2.4m×1.5mの巨大作業台を作製、押し入れをぶち抜いて塗装ブース(ここも壁に穴をあけて換気扇を取り付けました)と撮影ブースなど、広いうえに使い勝手のかなりよい模型部屋でした。 そして現在はというと、最近になって新しく家を購入して引っ越したのですが、我が家は家族が多いので新居では模型製作用に私用の部屋を割り当てることができなかったんです。でも玄関横にちょっと空きスペースがあったの。そこで、中古のスーパーハウス(工事現場などで簡易事務所に用いる四角いユニットハウス)を購入して設置しました。

サイズは7.2m×2.4m。なかは12畳ほどの広さです。これまでの過去2回の模型部屋製作のノウハウを生かし、エアコン、FF式ストーブ完備で完全にアトリエと呼ぶにふさわしいスペースになりました。奥半分を製作用スペース、そして手前のもう半分を在庫、資料用スペースにしています。 最初は入り口付近に来客用のソファとテーブルを置いていました。そのソファでは仮眠もできて快適だったのですが、あっというまにその上に置いた荷物が山積みとなり、資料も在庫も置き場に困るようになったのでソファとテーブルは撤去。棚を増やして保管スペースを大幅に増やしました。

ソファーで仮眠ができなくなったので、完全にフラットにリクライニングする椅子を新調し、仮眠はその上でやっています、 作業台は前に使っていたものをそのまま使用しています。また、前の家で使っていたダイニングテーブルも模型部屋に持ち込み、奥に入れて塗装スペースの台に使用しています。

完全に自宅と切りわかれているので、騒音や塗装の臭気などで家族に迷惑をかけることもないし、家の玄関を出て3歩でアトリエなので、本当に快適です。家との連絡は固定電話の子機を置いて内線で連絡できるようにしてありますし、インターネット回線も電気と一緒に引いています。

今後も断捨離を繰り返しながらレイアウトは変わっていくと思いますが、いま現在は最高のスペースだと思っています。■

03

Professional Style

プロモデラーと呼ばれるモデラーの部屋にはそれぞれ
ある一定の共通項が見いだせる。
それは時間に追われつつも、
一定のクオリティ作品を作り出すために
工夫された空間ということ

Akira TANI

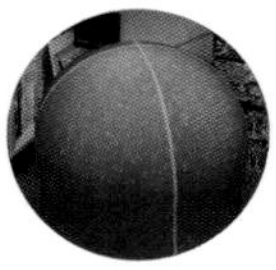

Suou@KAWAGUCHI

RYOTA

Koji ITO

Anmo NAITOH

Yoshitaka CHOUTOKU

KuWa

Riku KUROKAWA

Kazuya FUKUDA

●入り口すぐには自作作品や手がけた商品原形の一次複製品などを飾るガラスケースや、愛犬のケージが置かれている。また、棚や机の下など、あらゆる隙間にはプラモデルの在庫が保管されている

Akira TANI

自宅兼作業場
朝9時〜18時で勤める
商業原型師の仕事場＆アトリエ

海洋堂に所属するプロの商業原型師である谷明さんは、
新潟在住の在宅勤務スタイル。
自宅の一室を作業部屋とし、仕事としての造型作業を
行なっている。そんなプロの部屋に求められる工房としての
模型部屋はどういったものだろうか

▲部屋手前にはサブテーブルや書庫などが置いてあり、資料などもここに集めている

谷 明（海洋堂）

海洋堂所属のプロ原型師。FSSモーターヘッドのガレージキット原型を多数手がけたほか、「ワールドタンクミュージアム」での戦車の原型を手がける。現在デジタル原型への移行も勉強中

1 メインの作業机と隣接しているのが趣味のプラモデルなどを作るための机。作業する机自体を分けている。**2** 作業机の右手に設置されているのがデジタル造型用のテーブル。PCと液晶タブレットが設置されている。**3** 仕事用の机は、窓用換気扇を設置した前にPC机をセット。塗装ブースは段ボールでダクトを製作した自作派。

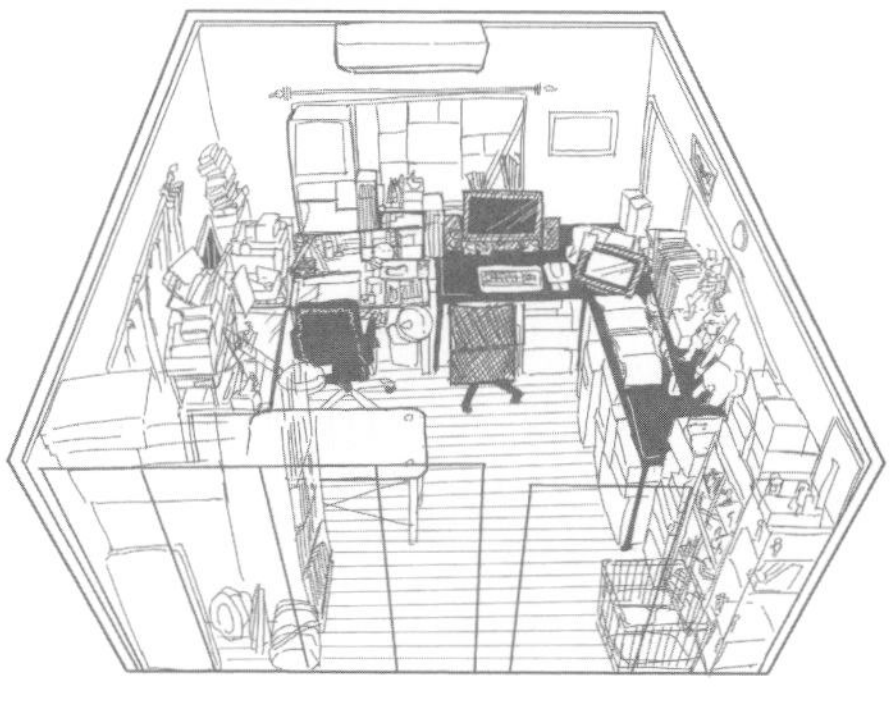

ROOM SPEC
- 新潟県新潟市在住
- 間取り:6LDK
- 住宅形態:戸建て
- 模型部屋:12畳
- 家族構成:本人+妻+子供2人

1 使用頻度の高いツールは卓上にまとめて管理している。2 ルーペは必需品。複数を使い分けている。3 リューター作業の際に使用する集塵機。4 5 卓上でエポキシパテを錬りながら各種スパチュラなどを使って造型し球型のライトをあてて硬化促進させる。6 愛用のエポキシパテは大量にストックしている

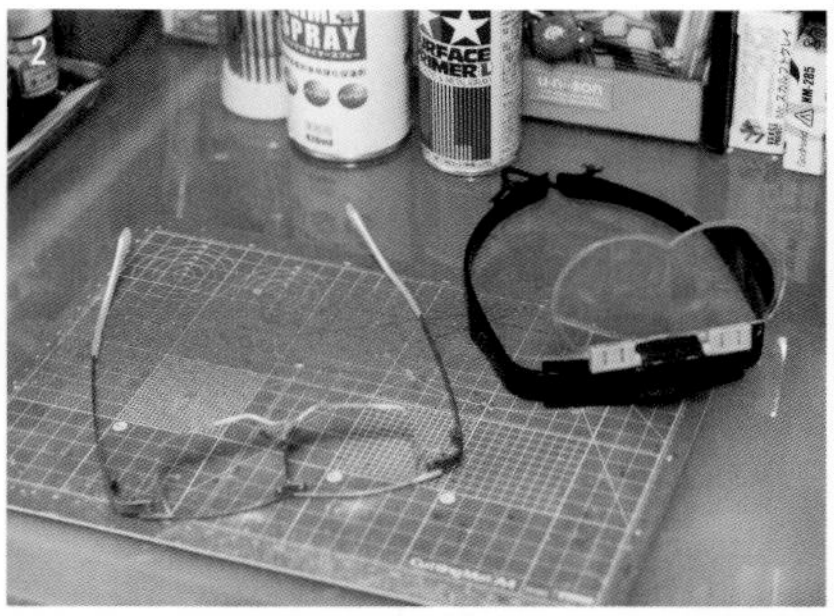

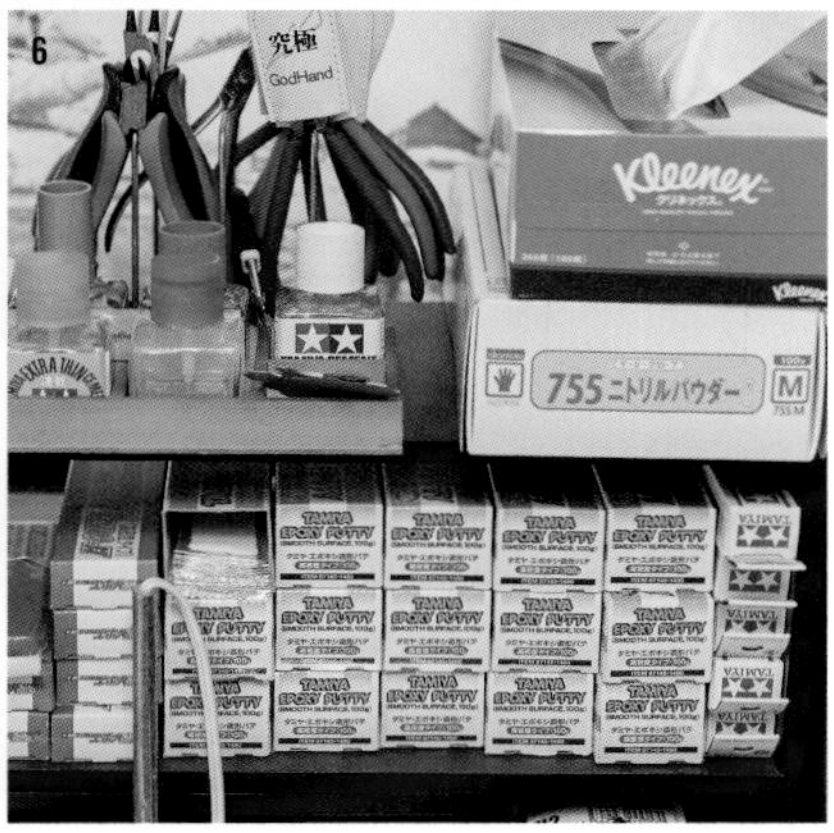

使い勝手のいいテーブルを組み合わせ 仕事机／趣味模型机／PC机と使い分け

この作業部屋のコンセプトはなるべくヤスリ、旋盤の切削粉じん、塗料のミストを排出、掃除しやすい作業環境にするということです。ヤスリがけで発生する削りカスがすごくキライなので、棒ヤスリを使うときは数回なでて削ったら、すぐに濡らしたウエスで拭き取ります。耐水性サンドペーパーなら必ず濡らしてから使いますし、切粉はすぐ掃除。缶サーフェイサーやエアブラシ塗装、旋盤作業時の塵も換気扇回しっぱなしで換気します。汚れる作業スペースは1ヵ所にまとめるカンジで。

机をガラスデスクにしてるのは、この仕事をはじめる前からで(25年前?)タミヤパテと瞬間接着剤をブレンドして超速硬化パテを製作に使ってるからです。これだと1～2分で硬化するので重宝しますが、不意に瞬間接着剤をこぼしたり机に付着させたりが頻繁に起きます。しかし天面がガラスだと大変清掃がしやすいのです。

さて、塗装環境ですが、ご覧のとおり私は専用の塗装ブースは使っておらず、換気扇改造派です。これで問題なく使えるかと問われたら、答えは「必要充分」です。換気扇はもうだいぶ前に取り付けた古いものではありますが排気量も充分ですし、段ボールで自作したダクトで吸気ゾーンを絞っているため、ダクト内に向かってエアブラシ、缶スプレーを吹いていればミストが吹き返ってくることはないです。

必然的に窓用換気扇を基本としたレイアウトにならざるを得ないので、換気扇正面にメイン机を置き、頻繁に使う素材、材料、工具(パテ硬化促進用ライト、超音波カッター、リューター、エアブラシ)をワンアクションで届く位置に集中させてます。

繰り返しになりますが、いちばん気をつけてるのが粉じん対策。旋盤はけっこう使うんですが、これが削りカスや目に見えない宙に舞う塵を排出しています。これを使った作業のときはずーっと換気扇回しっぱなしのうえに掃除機で徹底的に部屋掃除しています。塗装ミストもそうですが、これがいちばん体に悪いです。

削りカス(塵)ダメ、絶対。(標語)■

ココがPOINT!

金属線を切るニッパー、プラ板、紙ヤスリ、ハサミのほかに、爪切りを準備。「ちょっとでも爪が伸びると作業感覚が変わるので(谷)」頻繁に爪切りで爪を整えるそうだ。

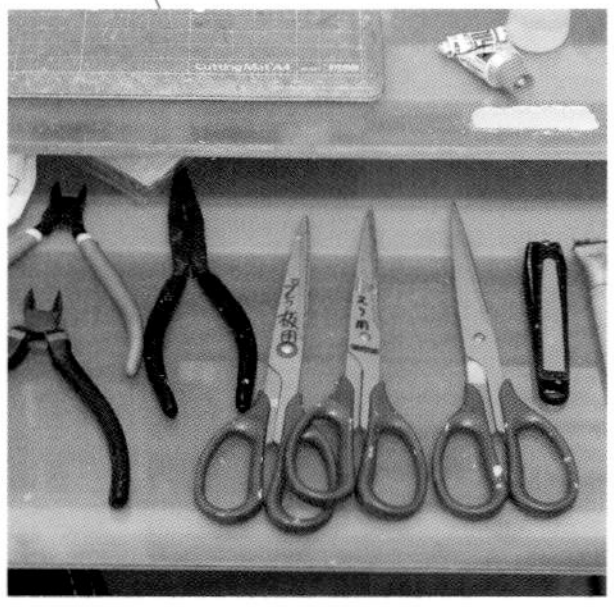

●部屋の右手は模型製作スペース。左の奥手はDTM用のPCやMIDIキーボード、モニタースピーカーなどが設置されている

SUOU@KAWAGUCHI

音楽スタジオ兼模型製作部屋の有用活用

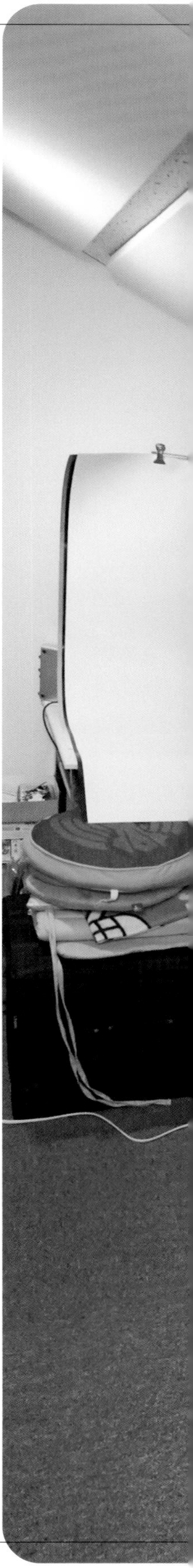

もともとは楽曲製作用の音楽スペースとして作った防室を、
現在は模型製作スペースとして活用しているのは
プロモデラーの朱凰@カワグチさん。
音楽活動再開の予感も残しつつ、どう模型部屋として
活用しているか、注目です

▲CDラックも大型の物が置かれており、所有するCDの一部が収納されている

朱凰@カワグチ
名古屋の模型サークル「RONDO BELLE」のメンバーで、各メーカーの新製品デコマスや試作品の製作を生業とするフリーモデラー。記事にもあるとおり、元々はシンガーソングライターとして音楽活動をメインとしていた経緯がある

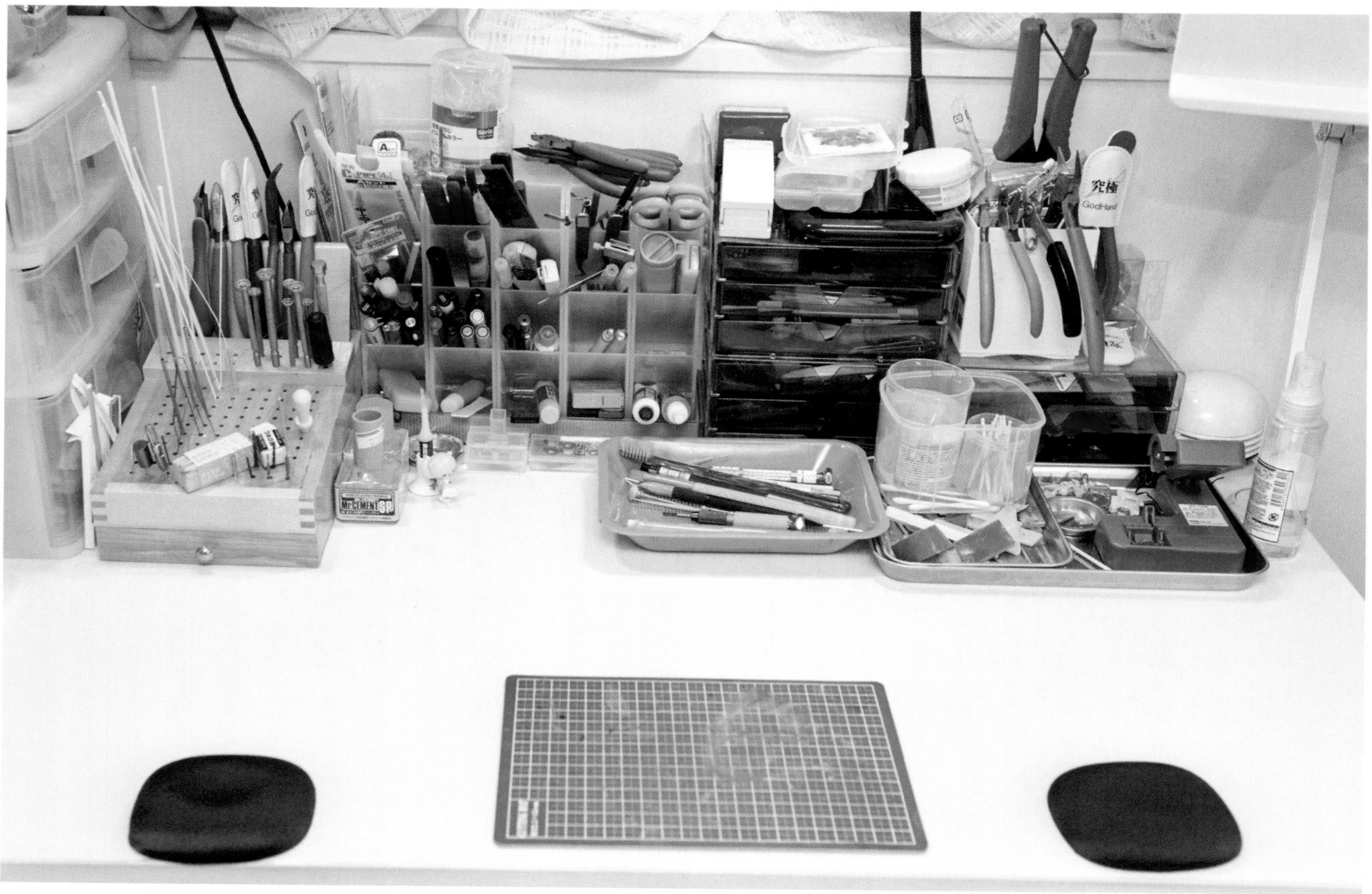

▲ニッパー類はニッパー立てに、カッター類はトレーに……と整理整頓が行き届いた作業机。工具が散乱していると作業効率が著しく落ちるという

音楽スタジオのなかで模型を作るというストレンジ

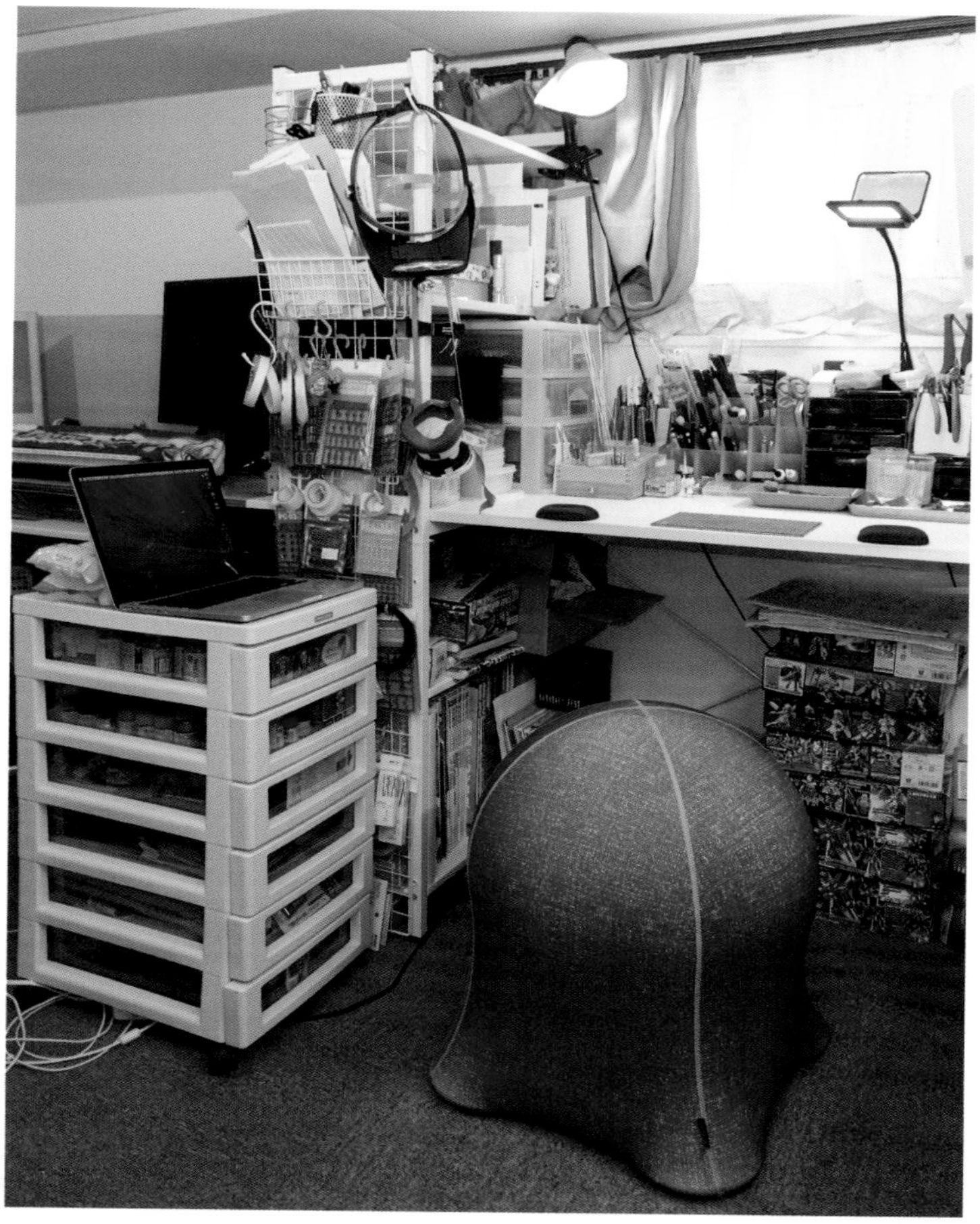

◀「JELLYFISH CHAIR」というバランスボールに座って作業している。「普通の椅子だと座るうちについ眠ってしまうことがあるのですが、バランスボールの上ではそれがない」という

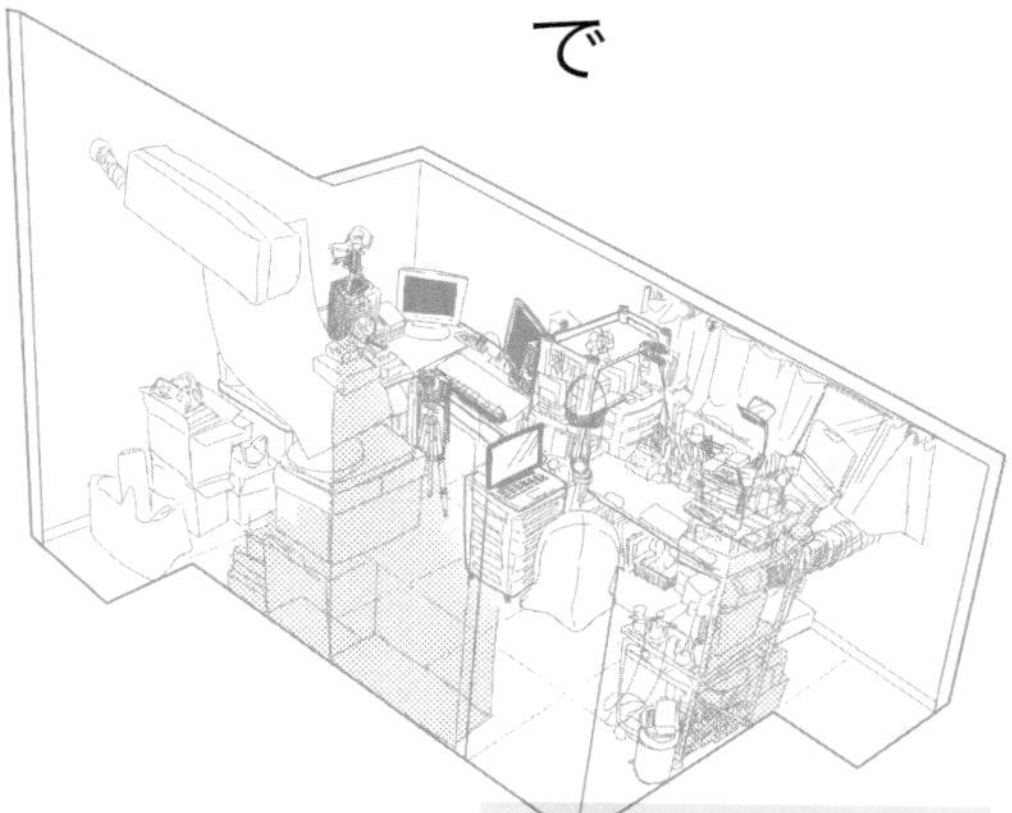

ROOM SPEC
- 愛知県某所
- 住居形態：敷地内別棟戸建て
- 築：5年
- 間取り：4LDK
（作業部屋は4畳半）

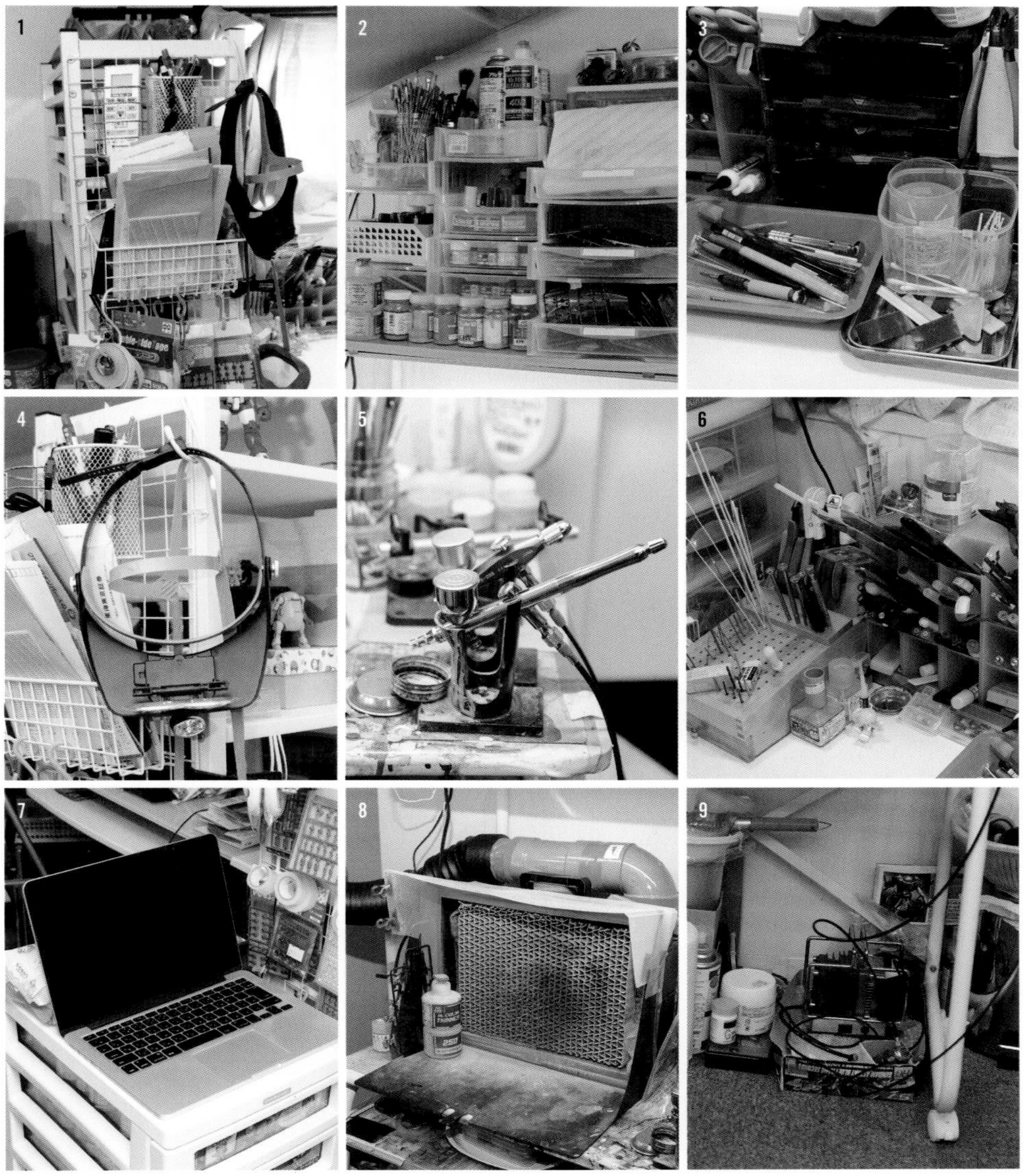

1 防毒マスクやそのほかこまかいマテリアルなどはラックにかけて収納している。2 塗装ブース上には塗料や溶剤類を積み上げて保管している。3 卓上にはパッドを準備し使用頻度の高い工具を保管している。4 作業時にはLEDライト付きのルーペが必須。細かい作業時に効率があがるという。5 ハンドピースは二本準備し、効率良く塗装をおこなっているという。6 卓上には100円均一ショップで手に入る斜め立てができる鉛筆立てを多用。ヤスリやピンセット類をここで保管している。7 キャスター付きワゴンは袖机にもなるし、容積が大きく材料ごとに収納できるので便利。その上のPCは動画や音楽視聴用。資料の検索も行なう。8 塗装ブースにはタミヤのペインティングブースII ツインファンを設置。ダクトを延長して窓から外に導いている。9 ブースの下にはGSIクレオスのMr.リニアコンプレッサーL5と同プチコンを設置。

定期的な模型の処分で作業スペースを確保

先に申し上げておきますが、自分は現在モデラーではありますけれども、やはり根っこはミュージシャン……ボーカリストなんです。もともと生活していたのが8畳+床の間といった離れ部屋だったのですが、音楽メインの生活を送っていたこともあって、建て替える際に思い切って自室を防音室にしてしまいました。が、故あって音楽活動が縮小していくなか、逆に趣味だった模型でご縁があり、ありがたいことにいまでは模型のほうが生業となっておりまして。

そんな状況なので、模型部屋としてではなく、あくまでも「音楽部屋の一角に模型をするスペースが存在する」感覚なんです（苦笑）。仕事として模型を作るのであるならば、できることなら模型専用の部屋が別にほしいところなのですが、まだまだ先立つものもなく。もっと稼いで専用の模型部屋というか、仕事部屋を持つのが当面の目標のひとつではありますね。だって、模型を作っているとどうしても部屋が汚れるじゃないですか？　エアブラシを使用するにも塗装ブースの排気で窓を開けなければならず、結局窓も年中開けっ放しになってしまっており「防音室とは……？」というカンジですので（涙）。

模型を作るスペースと書きましたとおり、部屋自体も4畳半程度なので、実際に製作スペースとしては1畳あるかどうかくらいの場所ですべてを賄っており、コクピット感は確かにありますね。また、メーカーなどからの製作依頼を抱えている際は、部屋の半分くらいはダンボールやキットの箱で埋め尽くされているので、余計に狭苦しいカンジになります。

そこで逆転の発想、模型に関連するものはこの作業スペース内で収まるように、荷物を広げないように心掛けています。これ以上部屋を模型で浸食してしまうと、本当に模型以外に何もない人間になってしまいそうなので。あとはいつでも音楽活動が再開できるようにするためという、ムダな足掻きもあったりします。

しかしちょっと油断するとキットの箱が山積みになってしまいます。友人などに協力してもらい定期的に処分するのですが、先日も後輩に「えげつないサイズのダンボールを3箱用意して来てね」と言ったものの、実際はそのえげつないサイズのダンボール5箱分くらいを持って帰ってもらったくらいです。もちろん自分で作りたい気持ちは山々なのですが…部屋の容積の問題と、「音楽をやりたい！」というプライドとの格闘が続いています（笑）。

最近はまた音楽熱が上がってきているので、デカいCDラックを増やしたいと思う今日このごろですが、その前にもう一度部屋のレイアウトを考え直して、もっとキレイにしたいですね。■

ココがPOINT！

机にはウェットティッシュを常備。ティッシュで机を拭いたあとは面出し作業の際に手元に敷いて、削りカスが散らばるのを防いでいる。ゴミがたまったら包んで捨てるだけで手軽に片付けられる

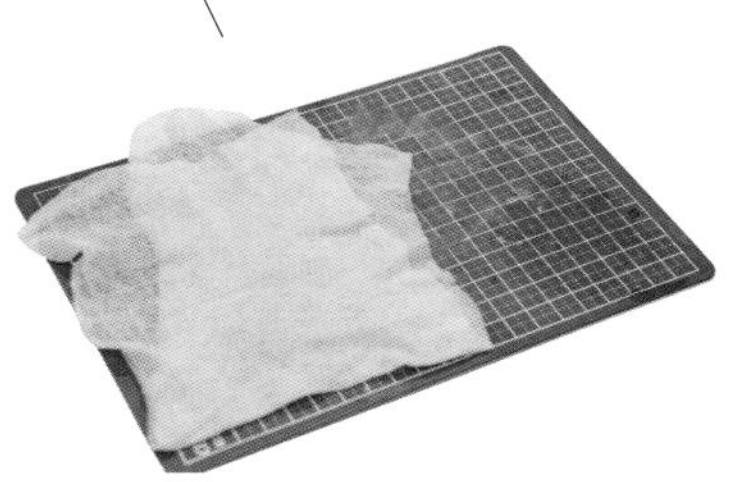

●引き戸で仕切られた大型の部屋を閉め切り、一方をPC仕事と寝室、そしてもう一方をこの模型製作用スペースとしている。

RYOTA

分譲マンションの一室
使いやすく棚を増設しながらカスタム

●作業机の上にも棚が作り付けられ、
多くの在庫キットが積まれている

多数の雑誌作例をこなすプロモデラーのリョータさんは、
マンションの自宅の一室に模型仕事の環境を構築。
広い作業机、充分な塗装スペースのほかに目につくのが、
整頓された在庫の棚だ。
「この部屋に入ると心が落ち着く」と本人が語るその秘訣は
その整理された模型在庫にありそうだ

リョータ

名古屋在住／模型誌モデラー業と共に、名古屋を中心に自由参加型模型製作会「プラモつくろーぜ会」を東海圏で毎週開催。初心者に模型を教えることからモデラー同士の交流の場を提供。行政や学校、企業だけでなく最近では警察署などからも依頼を受けて開催する

▲工作をメインとしている作業机。作業用テーブルは引き出しのない、足と天板だけのシンプルなものだが、奥行きは60㎝の広いものを選んだという

分譲マンションの一室
使いやすく棚を
増設しながらカスタム

◀こちらは塗装を中心とした机。20年以上前に購入したエアテックス製コンプレッサーを卓上に設置。ホースは机下から手前に取り回し、煩雑になるのを防いでいる

ROOM SPEC
- ・愛知県某所
- ・住居形態:分譲マンション
- ・築:12年
- ・間取り:3LDK
- ・家族構成:母、本人

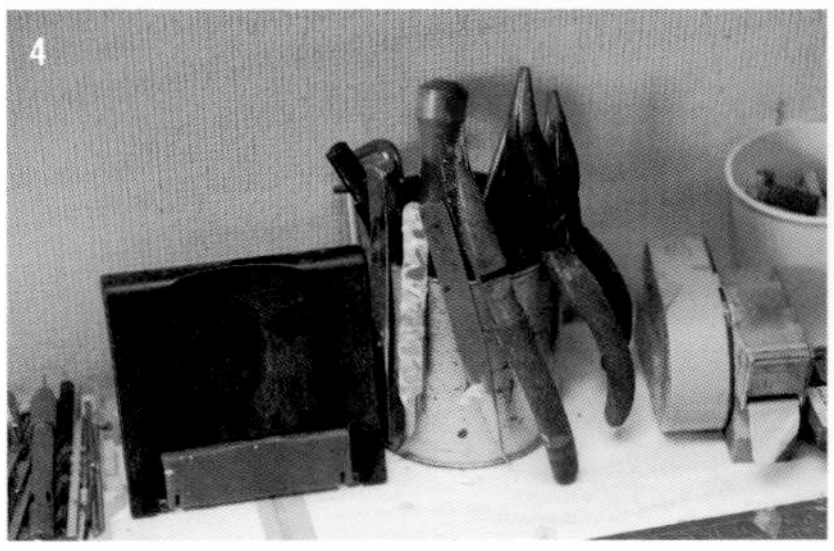

1 作業机の対面にはラックを設置。工作用の材料や各種マテリアル、レジンキャストや旋盤を収納するほか撮影台を常設。**2** 自宅マンションなので棚を自由に壁に取り付けて収納を増やしている。**3** プラ棒などのマテリアルは卓上で管理し、いつでも手を伸ばせる状態にしている。**4 5** ニッパーなどの工具類も収納せず、卓上で管理。いつでもてを伸ばせるのが理想だ。**6** ハンドピースはGSIクレオスの0.18㎜のものを愛用している。**7** アクリル塗料も多用するが卓上に作り付けた棚で管理している。**8** 塗装ブースはタミヤのペインティングブースⅡツインファン）を使用。窓から排気ダクトを外にだしている。

この家は気分転換に母とふたりで住みはじめたのがきっかけです。そのうちのひと部屋を私が占有しています。この部屋は、じつはこの倍の広さの部屋でドアがふたつあり、中央に仕切り壁がついています。ですので片方を作業部屋、片方を寝室兼PC等の仕事部屋にしています。模型趣味自体が途切れたことがないので、実質ずっと作業部屋は確保していることになります。

ここに住みはじめた当時は、友人とはじめた事業に忙殺されていて、その前年に某雑誌の某ガンプラコンテストで大賞を獲ったものの、もう二度と模型製作ができないのではと思うくらい、心身共に疲れ果てていました。しかしそんなときでも何かを守ろうと思ったのか、作ることだけは続けようと思い、つねに自分が楽しく製作できるようにと模型部屋の環境は整えていました。仕事でどれだけ疲れていても、この作業部屋でちょっとだけでも模型をいじることで精神バランスを保っていたんでしょうね。

そんな生活も煮詰まってしまい、ならば自分の本当に好きなことで生きようと一念発起。プロモデラーになると宣言していまに至るのですが、作業部屋は、そこからさらに自分なりに使い勝手の良いモノの配置などを工夫し、いまの形に落ち着きました。

机がふたつになったのは、そのころにさまざまな製作物の依頼をがむしゃらに受けていまして、同時にふたつ以上、（時には一度に20件みたいのもありました）製作を進めていたりした際に、必要に迫られ、机を増やしたのだったと思います。

その後'14年から模型誌作例をさせていただくようになって、写真撮影机を置き、壁に棚を作りつける格好になっていきました。そう思うといまは、Ver.5くらいですね。

ちょうどそのころ、自分へのご褒美に、中古屋で絶版キットを見つけては積むということをしはじめてましたが、だんだんと好きなキットを厳選して、この棚に積むということをはじめました。しかしこうやってみてみると厳選したものは'80年代の、僕が子供のころ憧れたキットたちが並んでます。そういった本当に好きなキットをつねに見える所に置くことで、そもそも自分が模型の何が好きでいまの仕事をはじめたのかを、つねに確認してるのかもしれません。

この部屋は椅子に座った瞬間に、なんとなく「模型作るって楽しいな」という気分になります。自分にとってここは、もうそういう装置になっているのでしょうね。 ■

ココがPOINT!

ペインティングナイフ+スポンジ

タミヤのウェザリングマスターを愛用しているが、画材屋で売っているペイントナイフの先にスポンジを刺して塗布している

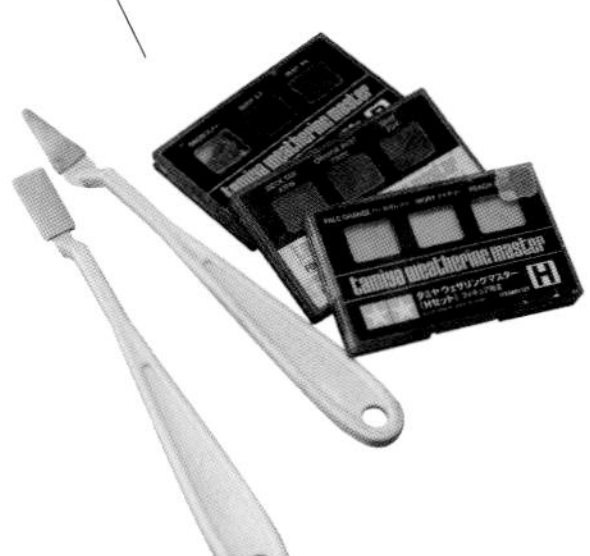

●決して広くない部屋だが、工作用のデスクが中央にひとつだけなので広さは充分。ベランダで塗装もできるので非常に使い勝手がいいという

Koji ITO

リフォームを期に4畳半を模型専門部屋に改装

『ALWAYS 三丁目の夕日』鈴木オートダイオラマなどで知られる情景作家、伊藤康治さんは、その作風同様に模型部屋も清潔感溢れる空間だった。
狭いながらもサブテーブルを使ったり、収納を工夫したりとさまざまな活用法にあふれているが、
悩みは多数生み出される作品の管理だという

伊藤 康治

食わず嫌いでAFV以外作らない時代が長かったのですが、最近は他ジャンルの方との交流も増え、艦船や飛行機の情景も作るようになりました。それでも、ダイオラマ作品として仕上げるのがいちばん楽しいです。やはり根っこはAFVなんですね(伊藤)

▲「60歳代では20歳代の2〜3倍の照度が必要」という話を知り、作業机のZライトを2本に増やした。節電も兼ねつつ明るさを重視して電球は白色LEDに変更。

広さ、換気、収納、すべてが自分にとってベストなんです。

▲デカールや各種材料などは書類ケースを4つ積んで効率よく収納している

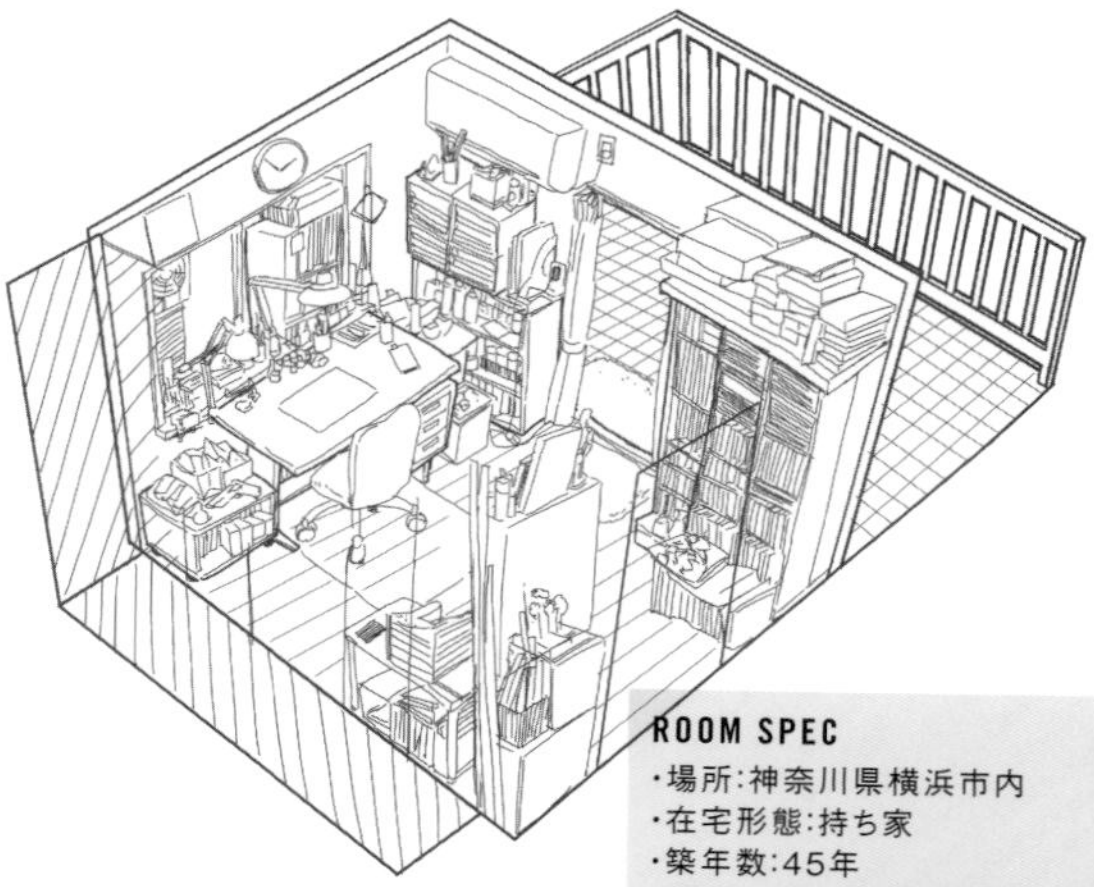

◀本棚には模型雑誌や資料写真本のほか、多数の「タミヤニュース」を保管。スライド棚が便利

ROOM SPEC

・場所:神奈川県横浜市内
・在宅形態:持ち家
・築年数:45年
・間取り:6LDK(作業部屋は約4畳半)
・家族構成:
妻、長男、次男、猫(ソマリ)、
犬(トイプードル)

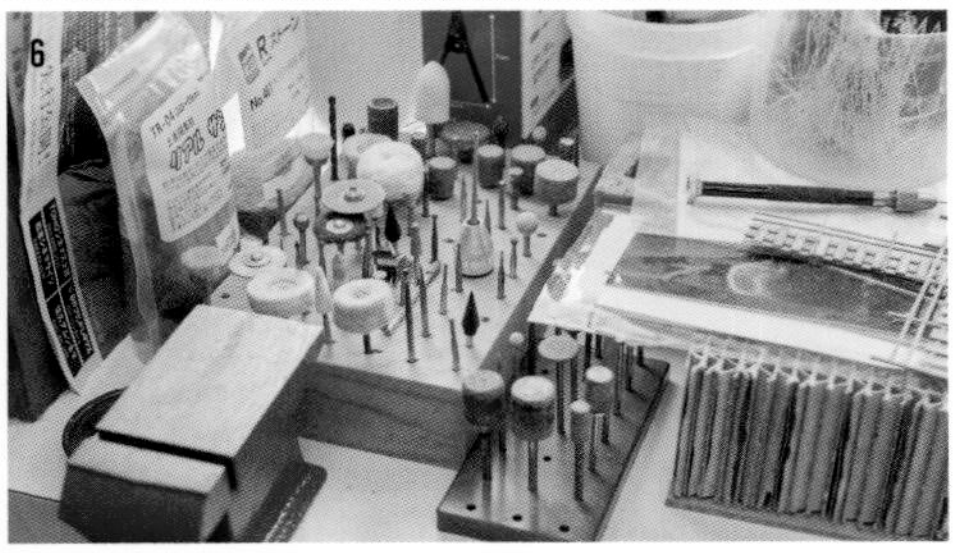

1 木の根や「てんぐさ」などをつかって巧みに木の枝ぶりを作り上げる。2 多用する筆類はペン立てで卓上管理。3 ハンドピースはタミヤ スプレーワーク HG93F（0.3㎜）を愛用。4 コンプレッサーは同じくタミヤ製「スプレーワークHGコンプレッサーREVO」どちらも故障なく満足している。5 エアダスターや瞬間接着剤硬化スプレーは作業机右手の棚に集めている。6 バイスやリューターのビットは窓際に集めてある。7 LEDにライトを変えた電灯。8 缶スプレーが吹けるベランダ。サンシェードを取り付けたため、より快適な空間に

模型環境に不満はないが、完成品保管環境は永遠の課題

7年前、実家をリフォームした際に、4畳半のモデリング専用ルームを確保することができました。決して広くはありませんが、ひとりでじっくり模型を楽しむには充分かもしれませんね。

工作用のデスクも部屋の中央にひとつだけです。組み立てから塗装まで、一連の作業はほぼここで行なっています。『伊藤康治作品集／ダイオラマ・ショーピース』（大日本絵画刊）でも述べていますが、仮置き用の小さいデスクがひとつあって、それをうまく使うと、平行作業するときでも作業スペースはしっかり確保できます。『工具類はデスクの引き出しやキャスター付きのフロアーケースなどに収納し、よく使うもののほとんどはさっと手の届く範囲に配置しています。エッチングパーツやデカール、小さなプラパーツなどはレターケースに種類ごとに纏め、こちらも手の届く位置に置きました。もともとあった出窓のスペースには筆や工具を置くことができ、おかげで机上を広く使うことができています。また、壁一面がクローゼットなので、使用頻度の低い工具などはここに収納できてしまいます。積みプラというものもほとんど持たないのでわりと余裕もあり、気が向いたときに進める作品たちやアイディア段階の試作品たちの仮置き場としても使えます。

部屋自体はベランダ続きになっているので、缶スプレーを使った塗装や木材加工など、飛沫や埃屑が発生する作業はベランダで行なうようにしています。天気がよければ塗装したものを乾燥させることもできます。室内には塗装ブースなどは置いていません。というか、ベランダと窓につけた換気扇で充分ですし、がっつり塗装したいときに雨が降ったら「晴れるまで待てばいいや」みたいなスローペースが現在の僕の製作スタイルには合っているかもしれません。

狭くとも収納は多め、かつ換気に悩むこともなく、この製作環境に不満らしい不満はありません。ですが、「完成品をどうするか？」というモデラーなら多かれ少なかれ抱える問題はなかなかスッキリ解決できませんね。僕の場合、完成品の大部分はこの部屋には置かず、物置きに保管しているのですが、寒暖・乾湿の差が大きい場所ということもあって、時折確認すると容赦なく劣化が進んでいます。ずっと手元に置いておきたい反面、箱に入れたまま朽ちていくのは切ないというジレンマを感じていました。そこで、然るべき方にお譲りしたり、展示施設に寄贈したりなどするようになりました。愛着のある作品ばかりですが、住宅事情はそうそう変えられませんし、求められる場にいくことで多くのひとに楽しんでいただけると思えば、このような解決手段もありかな、と思っています。■

ココがPOINT!

床保護マット

フローリングを椅子から守るマットだが、ちょっとした養生になるため、不意の接着剤の飛散や塗料溢れにも安心できる

●TVチューナー付きのPCを置いたテーブルと並んで模型製作用テーブルが置かれる。はやり共同スペースということもあり、塗料の臭気などには気を使っているという。

Anmo NAITOH

夫婦での創作活動を円滑に行なう模型空間

『月刊モデルグラフィックス』『月刊アーマーモデリング』誌など多数の模型誌で、AFVに限らずさまざまなジャンルの模型を製作、発表するのはプロモデラー、内藤あんもさん。アニメーター／クリエーターである奥様との共同のアトリエは明るく広い空間でした

内藤　あんも

岐阜県多治見市出身。幼少よりプラモデル製作を趣味とし、かれこれ30年以上ほぼ途切れなく作り続けている生粋のモデラー人生を送っている。メインはAFV模型だがそれ以外のスケールモデル、ガンプラも作る

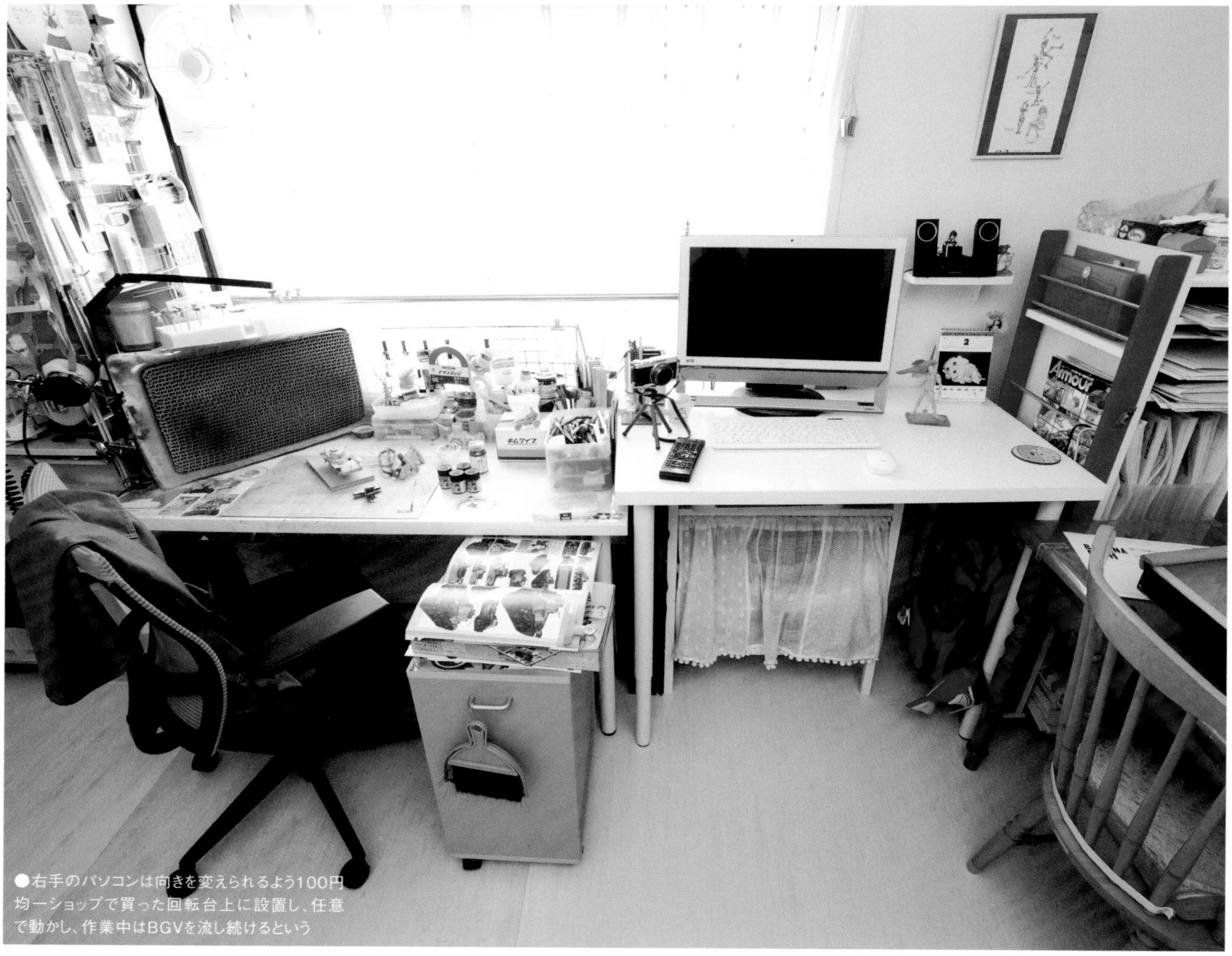

●右手のパソコンは向きを変えられるよう100円均一ショップで買った回転台上に設置し、任意で動かし、作業中はBGVを流し続けるという

▲作業机の後ろには、短時間の休憩用に椅子が置かれている。

ROOM SPEC

・場所:大阪府都島区
・住宅携帯:賃貸マンション
・築年数:28年
・家全体の間取り:3K
・作業部屋の間取り:洋室6帖
・家族構成:夫婦ふたり暮らし

実家にいるころは厳しい親の目があってプラモデルの在庫を増やすにも限界はありましたが、20代後半にひとり暮らしを始めてからはタガが外れて急増。模型店に勤めていたこともあり、急速に在庫が増え続け、その後数度行なった引っ越しのときには毎回「この在庫数はヤバイ、処分しなきゃ、でもできない……」という状態でした。模型問屋でウッカリ購入してしまったドデカいドイツレベルの1／72 Uボートなんかは処遇に困った最たる例です。

いまは良くも悪くも職場にも在庫を置けるお陰でもありますが、ひと昔前ではごく当たり前だった「気になるから押えておこう」という思考は落ち着いた感じもします。まあ、もちろんちょっとずつは増え続けてはいますが（笑）。ただ、比較的作業速度は速いほうなので（飽き性なので）、作り終えた完成品を置く場所が限界に近付いています。その完成品たちはどうしても自分がほしくて買って作ったものばかりなので、手放すなんていう考えは基本ありませんから、置き場を検討せねばという状況です。次に引っ越すときには壁一面を埋めるぐらいのショーケースがほしいなあとか考えちゃいますね。

さて、現在住んでいる部屋は2年ほど前に結婚を機に引っ越す際にいくつもの物件を回ってようやく決めた部屋です。角部屋で目の前が開けていて、深夜作業音や溶剤臭による近所迷惑もあまり気にせず作業できますし、仕事部屋とリビングと寝室を分けられるなど好条件が重なりました。アニメーターである奥さんとの共同作業部屋ではありますが、在庫置き場は押し入れだけ、としたこともあり充

1

2

3
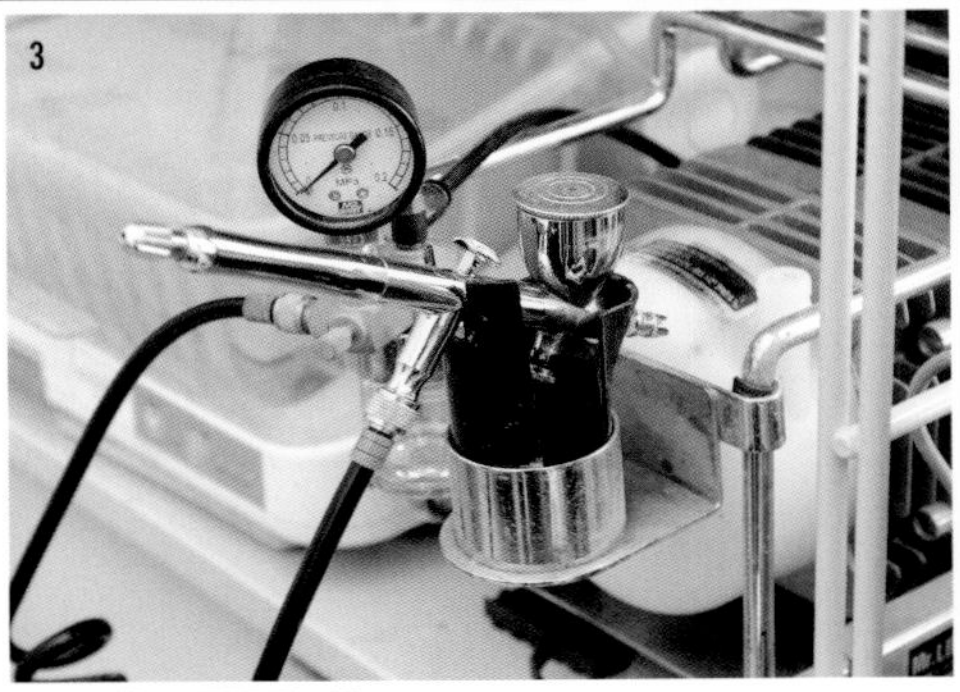

4

5

6

1 基本的にこの卓上のみで工作、塗装、仕上げを行なう。使い慣れた道具類はケースに入れて卓上で管理している。**2** 資材やマテリアル、資料そのほかのものはほとんどがポリプロピレン製ケースに入れてラックにいれて保管している。塗料の在庫やキットのパーツなども収納している。**3** コンプレサーは、L10リニアコンプレッサー（絶版）を使用。エアブラシ本体にはあまりこだわりがなく、0.3㎜ダブルアクションであればどのメーカーのものでもOK。**4** プラ棒などの消耗品はメタルラックに金網を設置し、ディスプレイしながら管理している。**5** 窓に後付けした換気扇で部屋自体の空気の入れ替えをし、15年以上使っているGSIクレオスの塗装ブースを使用している。**6** AFVモデラーなので多数のフィギュアのパーツをパーツごとにケースに分別し保管し続けている。

妻の理解も得て、快適な模型／塗装空間を構築

分な広さです。

引っ越しを機に購入した机やラックを設置し、それらは大幅な改良はせずに使っています。なるべく最低限の導線で作業できるような環境にはしたつもりで、机の上は「片づければ」それなりの広さを持っていますが、道具を積極的に散らかすモデリングスタイルのため、作業スペースは作業が進むごとに狭くなり、終わるころには猫の額程度になります……。

もちろんこの部屋に難点がないわけではなく、先述したように“ほぼ充分な広さ”なのですが、常設の撮影ブースを置くには足りず、必要なときは折り畳みテーブルに背景紙をセットします。そして窓が壁とツライチのため、雨が強い日は換気扇や塗装ブースを回せないことも難点。ですが、このふたつの問題を除けば、この部屋には非常に満足しており、しばらくはこの部屋とこのレイアウトのままでいいかなと思っています。朝起きたら即作業机に向かい、授業のない日は長時間いることも多い部屋なので、快適に過ごせる環境を維持していきたいです。■

ココがPOINT!

スタイロフォーム 活用しています

目玉クリップと爪楊枝を組み合わせて作った塗装用棒を使ってパーツを挟み塗装しています。塗装後はスタイロフォームに刺して乾燥

●もともとは幼少期から過ごした四畳半の子ども部屋だったという。そこからふたつの作業机を導入、模型製作の空間に特化していった

Yoshitaka CHOUTOKU

仕事としての模型を作れる部屋にしたい

持ち家&隣家との距離もそこそこある恵まれた住環境だという長徳氏。また模型製作を本業としているゆえ家族も全面的にサポートしてくれているという。
子供のころから使用している子ども部屋を仕事部屋へと変貌させるための苦労とはどういったものだったろうか

長徳 佳崇

『月刊モデルグラフィックス』では、艦船メインの作例で知られる10年を超えるベテランモデラー。趣味ではキャラクター、AFV、AIRなども作る雑食趣味

●こまかい作業を行なう際はこちらのPCモニターなどが置いてある側のテーブルで行なう

「模型製作を重要視していないこの環境では仕事としての模型は作れない！」と一念発起

ROOM SPEC

・場所：千葉県の空港近辺
・住宅形態：持ち家
・築年数：30年くらい
・家全体の間取り：4LDK
・作業部屋の間取り：4畳半
・家族構成：家族と同居

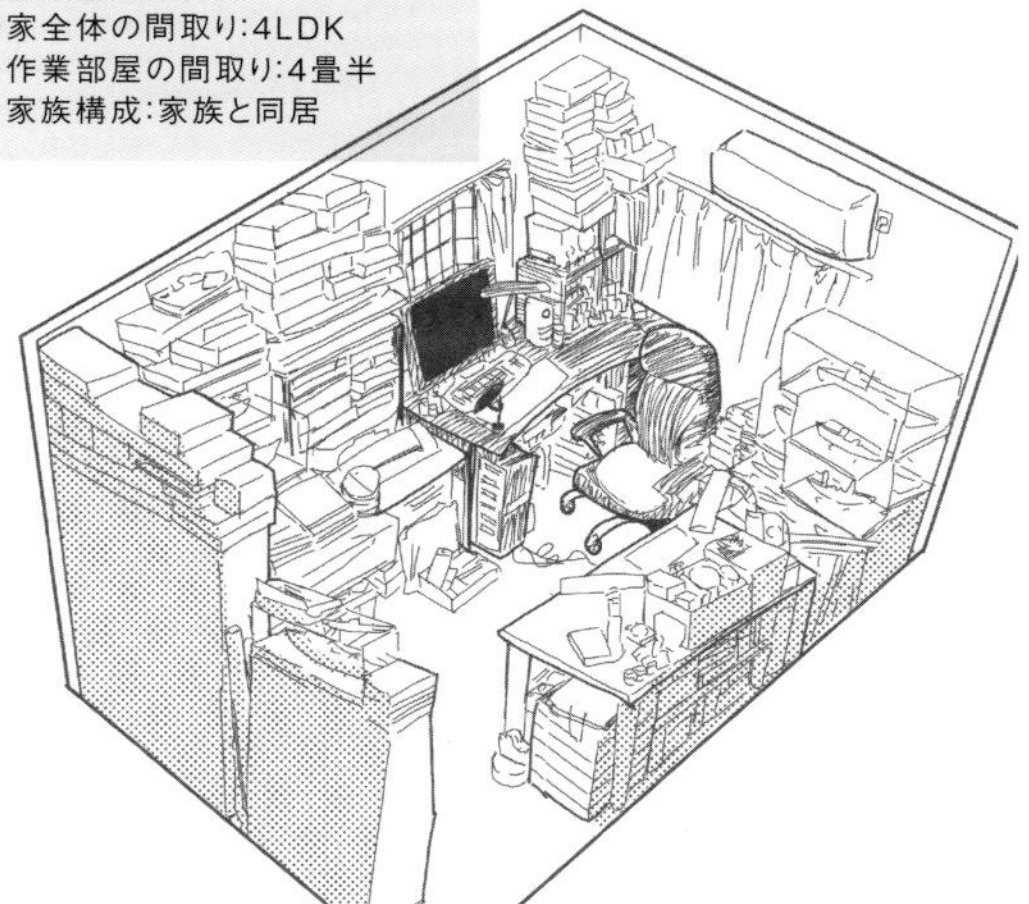

◀ざっくりとした作業や大物工作、模型の撮影などはこちらの広いテーブルで行なう

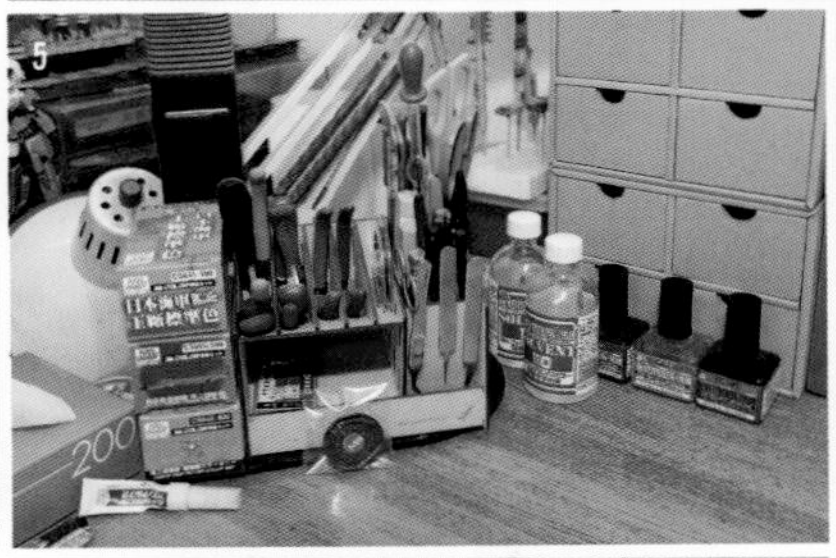

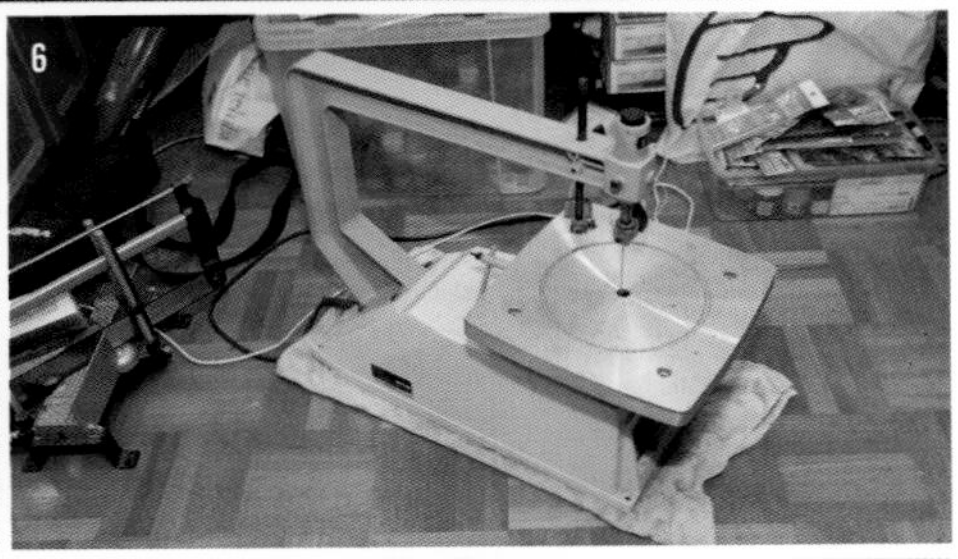

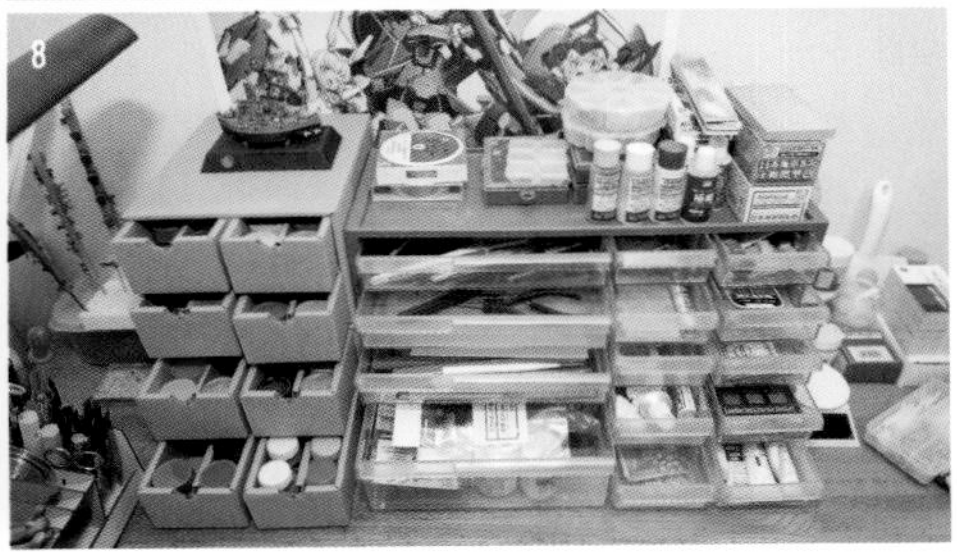

1 汎用性の高い爪楊枝は使用後も集めてカップに保管している。**2** GSIクレオス製の段ボール製塗料ケースは愛用しており、塗料のほか、接着剤なども入れている。**3** 完成させた艦船模型の数々。「職人の部屋」を目指してディスプレイしている。**4** 艦船模型製作に資料は非常に重要。整理した本棚を準備し、いつでも手に取れるようにしている。**5** ニッパー類の保管も卓上ケースを活用している。**6** 艦船模型のキットや別パーツが充実してきたお陰で最近は減ったもののスクラッチビルドをしたり、大きさがマチマチな艦船模型のベースを作品に合わせて自作する。そのため旋盤などの工具も必需品。**7** GSIクレオスのMr.リニアコンプレッサーL5のほか、ハンドピースはGSIクレオスのPS289を愛用。**8** サブテーブル側にもひとしきり塗装／マテリアルをケースに入れて保管している

ふたつの製作机を準備し、同一作品でも作業によって使い分ける

小さいころから模型作りは好きでしたが、ゲームも音楽も漫画もアニメも好きという普通の(?)文系男子で、実家住まいということもあり、自室は雑多な趣味部屋でした。そこで趣味のうちのひとつとして模型も作っていたのですが、ひょんなことから作例の仕事を受けるようになりました。ありがたいことに依頼は増えていったのですが、「模型製作を重要視していないこの環境では仕事としての模型は作れない！」と危機感を感じ一念発起。モデラーらしい環境を構築すべく、工夫を重ねてきました。

もともとは作業机はひとつしかなく、ベッドやミニコンポやゲーム関連など生活の一部と趣味のほぼすべてが詰まっていましたが、まずはベッドを隣室に移動、空いたスペースに大型の作業机を導入して、メタルラックなども追加しました。

生まれて初めて買ったコンプレッサーは『みにまるくん』というとても小さなもので、仕事用としてはスペック不足でしたので、エアタンク付き2気筒の爆音コンプレッサーへと進化させました。これはスペックは申し分なく、これを導入したころにはかなりプロ仕様の設備が整ってきたのですが、実家住まいゆえの悩みが発生します。

依頼が増えるにつれて〆切前の深夜作業も増え、この爆音コンプレッサーを深夜も使わざるを得ない日が増えました。そのたび家族には平謝りしまくりで……。

そこで静粛性の高いＧＳＩクレオスのコンプレッサーＬ５を導入したところ、深夜でも振動も音もまったくわからないと家族にも好評。当初は深夜作業専用のつもりでしたがパワーも充分でしたので基本的にはこれのみでＯＫ。ただ、さらなる便利な塗装環境を構築すべく、小さい机に、ちょっとした塗装用にコンパクトなＡｒｔＦｕｎ！のＴＷＩＮＣＵＢＥを導入してみました。

特殊な道具としては糸のこ盤を愛用しています。艦船模型のベース製作に使用できるほか、１／３５０艦船の船体をスクラッチビルドする際にも大活躍の便利工具です。近年キャラクターものの作例依頼も増えてきましたのでカッティングプロッタも導入。同じ形のパーツを複数使用したいときなどは、プロッタを使用することで簡単に製作できるので作業効率がグンと上がりました。

しかし、作業環境作りというものは難しいですね。どんなに設備を整えても「職人の部屋」にはならず「模型好き少年の部屋・改」止まりと感じます。収納を工夫して作例をキレイに飾るとそれっぽくなるかなと思うのですが、そこに大好きな仮面ライダーのベルトも飾りたいなぁ(笑)。模型少年の雑多な趣味部屋が性に合ってるようで、職人部屋はなかなか作れそうにないです。■

ココがPOINT!

カッティングプロッターを多用します。

キャラクター系の作例依頼も増えてきたのでカッティングプロッターを導入。同じ形のパーツを複数使用したいときなどに重宝する

●一見整頓された事務所のような趣のアトリエ。まめな整頓と徹底した作業スペースの区分により実現した美しさといえる

KuWa

必要なものをすぐ出力！
デジタルモデリング環境に特化

PCを使って、データで立体物を製作するデジタル造型を本職とするKUWAさん。そのために環境を構築しようと転居し、現在のアトリエを構えました。
もちろんそれだけでなく、イベント販売用に
3Dプリンター出力品の仕上や塗装もこなそうとすると
アナログとデジタルの融合したアトリエが必要となりました

KuWa [FRAMEOUT MODELS]
3D CADを用い、とくにメカ物の関節・可変部のギミック設計を得意とする。塗装もキレイな万能モデラーとしての顔も持つ
blog:FRAMEOUT MODELS Blog
http://frameout.blog67.fc2.com/

●メインのテーブルはLOWYA製の木製パソコンデスク 幅180㎝×奥行80㎝とかなり大きめのものを使用している

▲窓際のメタルラックを置いた棚にはポリプロピレン製の引き出しを多用して小物類を収納、管理している。

3Dデータ製作、3Dプリント、塗装、アナログ原型。すべてに対応

トイやプラモデルのデジタル造形をメインに自宅でお仕事をしていますが、そうすると家の周辺が生活圏になるので、まわりの環境が大事！　ということで駅近、公園近のいまの家に引っ越してきたのが1年半前。じつは『月刊モデルグラフィックス』誌作例のFAZZ（2017年5月号掲載）の完成が引っ越し当日というエクストリーム納品だったので、本誌とはじつに縁深い思い出です。

それまで5年間住んでいた前の家は9畳にウォークインクローゼット付きという恵まれたスペースがあったのですが、いまは半分の4・5畳、思った以上に荷物が入らない！　そこからいまの部屋を作るための格闘がはじまりました。

本業のデジタル原型製作のほか、イベント販売用ガレージキットの原型などでは造形や3Dプリント品の仕上げ、作例ではプラモデルの改造や塗装と、それぞれの作業に必要な道具や機材が多く、どうあっても減らせない。機材だけでもレーザープリンタ、PC／液晶タブレット、塗装ブース、エアブラシのコンプレッサーや乾燥ブース、デカール印刷用のアルプスMD5500と、3DプリンタのZORTRAXとFORM2、加えて撮影スペースも必要。

そこで、仕事の合間に古い模型、トイ、雑誌などを徹底的に減らし、どうしても処分できないものは、インターネット倉庫「サマリーポケット」に預けました。ここにはアマチュアイベント商品の再販用在庫なども預けてありますが、月250円～で預けられるので、心も部屋も広々としていいですよ。

PC作業と工作が同時進行できるよう180㎝の長机を左右で

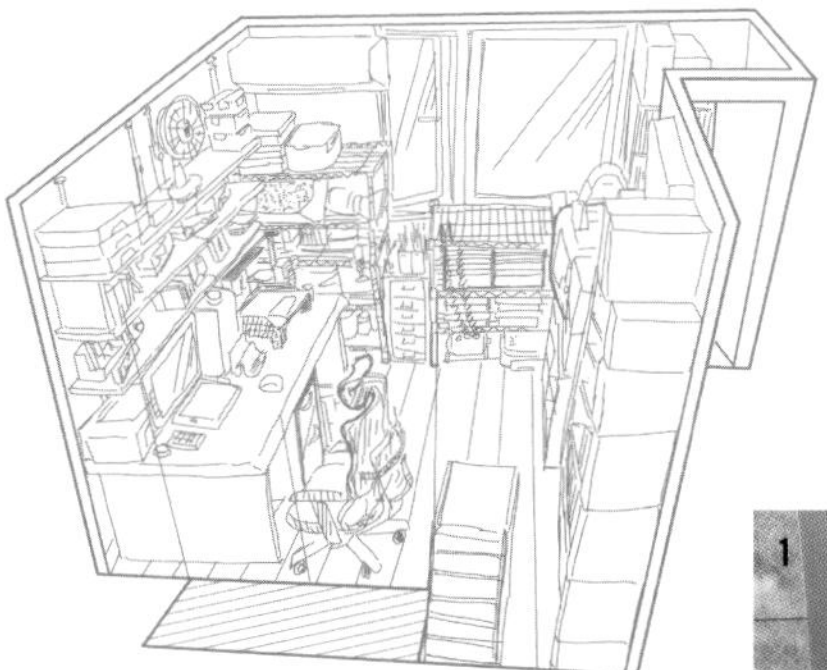

ROOM SPEC

- 場所：埼玉県さいたま市
- 住宅形態：賃貸マンション
- 築年数：3年
- 間取り：2LDK
- 家族構成：妻と二人ぐらし

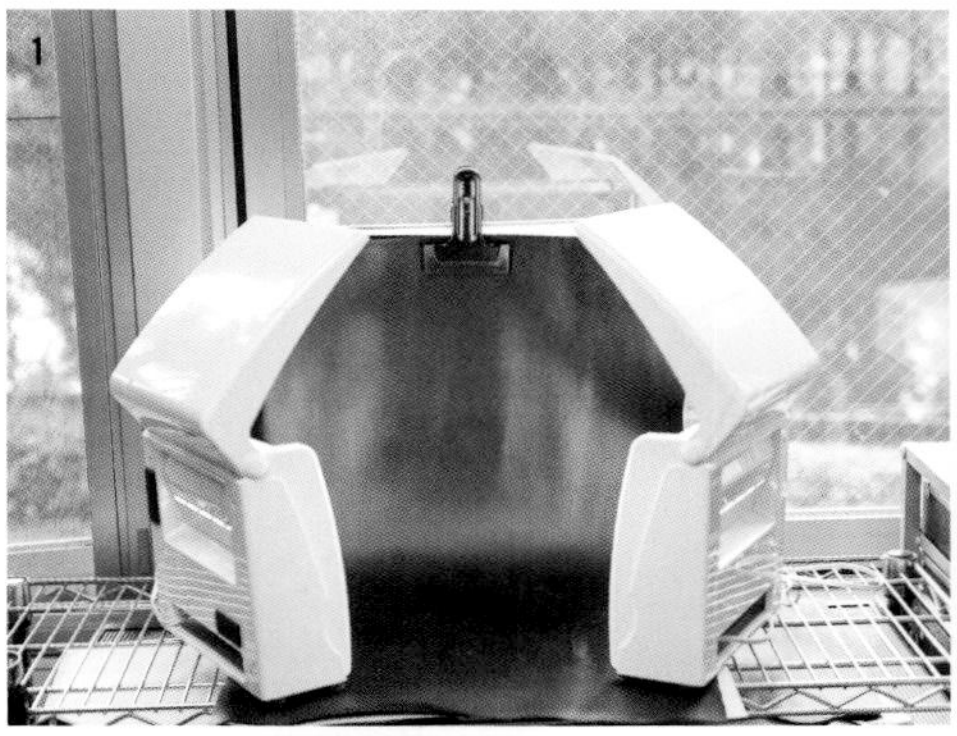

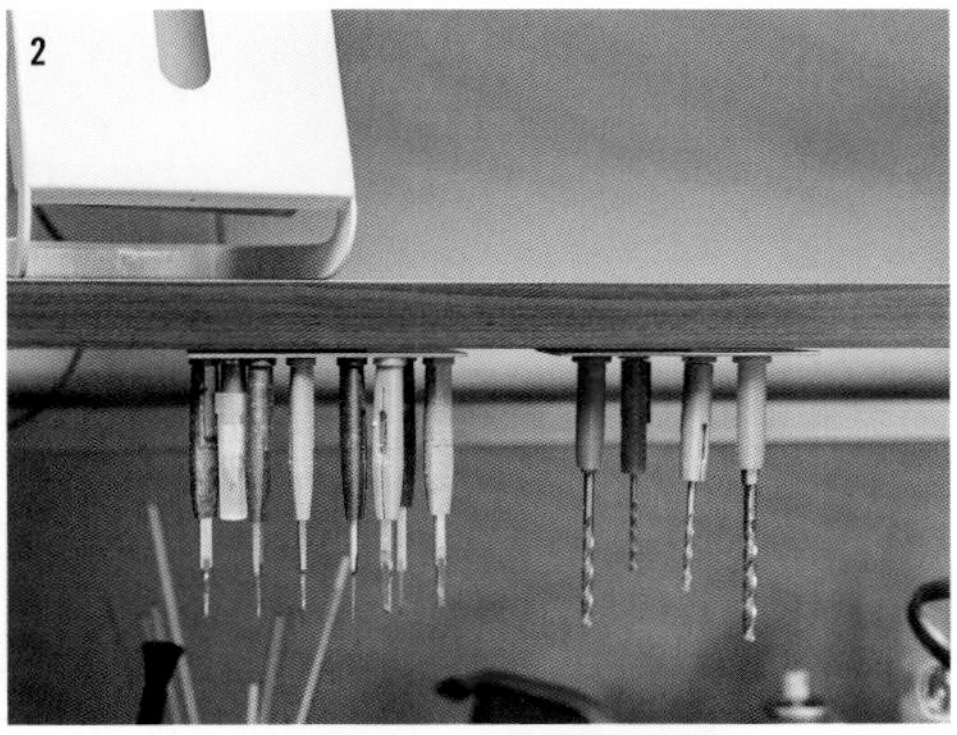

1 塗装ブースは設けず、フォトラを使用して臨時撮影ブースを組む。**2** 原型や出力品の仕上を行なうスペースでは、ドリルやタガネ類はFDM式プリンタで出力したグリップにネオジム磁石を埋め、棚下面に貼り付けた鉄板につけて整理。**3** 塗装ブースは大型のシロッコファンをプラスチック段ボールで覆い、GSIクレオスのハニカムフィルターを入れたもの。塗装を行なう際にダクトを窓の外に出す。**4** 引き出し型キャビネットを多用して普段使用しないゲーム機などは収納している。**5** こちらのキャビネットにはウェザリング用塗料、接着剤などが整頓されている。**6** 使用するツール類も非常にキレイに整頓されており、ペン立てには筆やナイフ、シャープペンシルなどが立てられている。リュータービットはメインの作業机から少し離れた位置にまとめてセット。

ネット倉庫を多用し 作業部屋には最小限度の荷物を設置

分け、塗装ブースは窓側のメタルラックに設置。収納スペースが限られているので突っ張り棒タイプの壁棚を設置、道具は可能な限り手の届く範囲にまとめて収納。

またクローゼットは物置と化しているのですが、向かって左側のスペースには無印良品の衣装ケースを設置。中身は備蓄材料や複製道具類、また過去の完成品やトイなどもジッパー袋に圧縮して収納しています。

ものが表に出ていると集中力がなくなるので、よく使うもの以外は収納してスッキリ見えるようにしています。頻繁に使う道具や材料は意外に少なく、それ以外をしまうと、使わないものは自然と出なくなるので1年後には処分、なんてカンジに割り切っています。

まだまだやれることはありそうなので、できるだけ気持ちよく作業ができるよう、使い勝手のよい部屋づくりは続けていこうと思っています。■

ココがPOINT!

卓上左側はアナログ作業場

LED型Zライトを設置した机の左側にはパーツを研磨、塗装するなどのアナログ作業用のスペースを設けている。PC前から立ち上がることなく移動できるのもうれしい

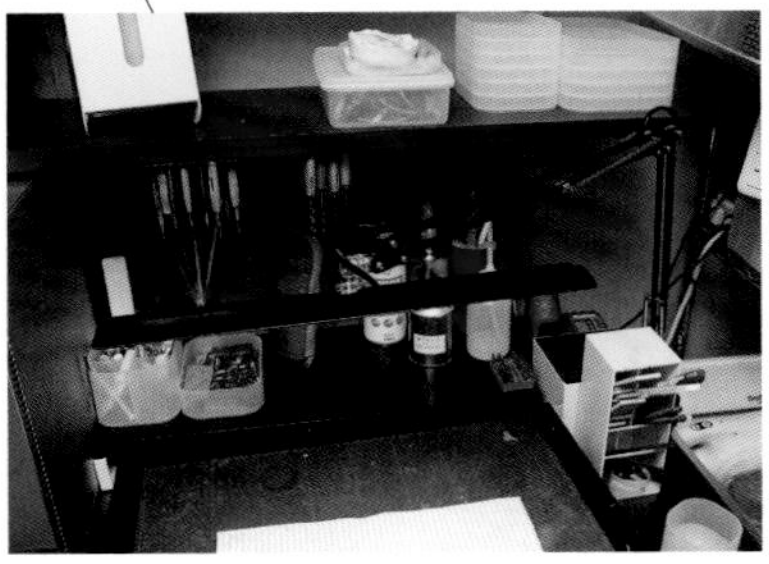

●6畳間の奥に模型製作スペースを構築し、手前のリビング部分にはこたつが設置されている。ONとOFFがキレイに境界線をなしている

Riku KUROKAWA

リビング兼作業場 半分の3畳にすべてを集約

会社員の傍ら、造型活動を続ける黒川さんは、ひとり暮らしの2DKの賃貸アパートながらリビングの半分に造型スペースを確保している。せまいながらも整理整頓を心がけ、決してリビングスペースに模型関連のものがなだれ込むことはないそうだ。

黒川 りく

キャラクターロボットものから美少女フィギュアまで、「自分の好きなものはなんだって作りたい!」がモットー。アナログ造形が中心だが、最近ようやくデジタル造型の環境も整え勉強も開始

1 メインの作業スペース。メーカー不明のこぶりの机をくみあわせ、アナログ作業とデジタル作業の両方を可能としている。**2** デスクトップPCのほか、タブレットで3Dソフトを動かしている。**3** リビング全景。模型スペースがいかにコンパクトかわかる。リビング／作業部屋の隣にある寝室とは引き戸で仕切られている。**4** スジボリ堂製のデスクトップストレージ Aタイプを使って卓上でツール類を保管、管理している

務めている会社の仕事のかたわら、趣味と実益をかねて模型やフィギュアなどの立体物を製作したり、複製したガレージキットを造形イベントで販売しています。2DKのうち6畳一間をメインの生活スペース兼作業スペースとキッチリ定めて、残りの二部屋はキッチンと寝室はスペースを確保しています。作業スペースはおおむね3畳のスペースにまとめ、椅子を中心に手を届く範囲でアナログ造形、塗装、複製、ZBrushによるデジタル造形、PC作業でのデカール製作などができるようになっています。

プラモデルやガレージキットの製作、ゼロからの原型製作も……となると、当然ながら手作業で使用する工具の種類も多く、また私自身、片付けがめっぽう苦手で30分ほど作業するだけで机の上がごった返しになることもしばしば……であるならば、大量の工具が手軽に収納、取り出しできるスペースがあればいいんだ！ というシンプル（？）な発想でスジボリ堂から出ているデスクトップストレージを購入。収納場所ごとに工具も分類して、ラベルの貼り分けでどこに何を収納するか、いつでも見てわかるようにしています。「とりあえずそのあたりに置いておけばいいや」という思考をなるべく減らすことで、まめに片付けができるように工夫しています。また、主要な超硬タガネなどの小さい工具はプラ板で専用収納を自作しています。

電源が必要な塗装ブース、コンプレッサー、ドライブース、リューター、超音波カッター、デスクライトは電源を一ヵ所の電源タップでまとめ、手元で管理できるようにしてあります。

塗装は話題のネロブースを設

片付けが苦手だからこそ、こまめに整理、整頓をこころがける。

ROOM SPEC
- 場所:埼玉県所沢市
- 住宅形態:賃貸アパート
- 築年数:22年
- 間取り:2DK
- 家族構成:独身

1 デスクトップストレージをつかって片づけられたツール類。使用頻度の高い物は上に置かれている。**2** 塗装ブースはネロブースを導入。排気パイプの設置位置の影響でダクトは大きく弧を描いている。**3** BMCタガネは各番手を揃えている。**4** 使用ハンドピースはアネスト岩田HI-Lineシリーズ HP-TH、HP-BH。コンプレッサーはGSIクレオス リニアコンプレッサー L7を愛用している。**5** サンドペーパーは引き出し式の収納ケースに保管。ラベルを貼ってどこに何番のサンドペーパーがあるのかをひと目でわかるようにしている。**6** 机後ろは複製コーナー。複製用の真空槽を完備している

1

3

2
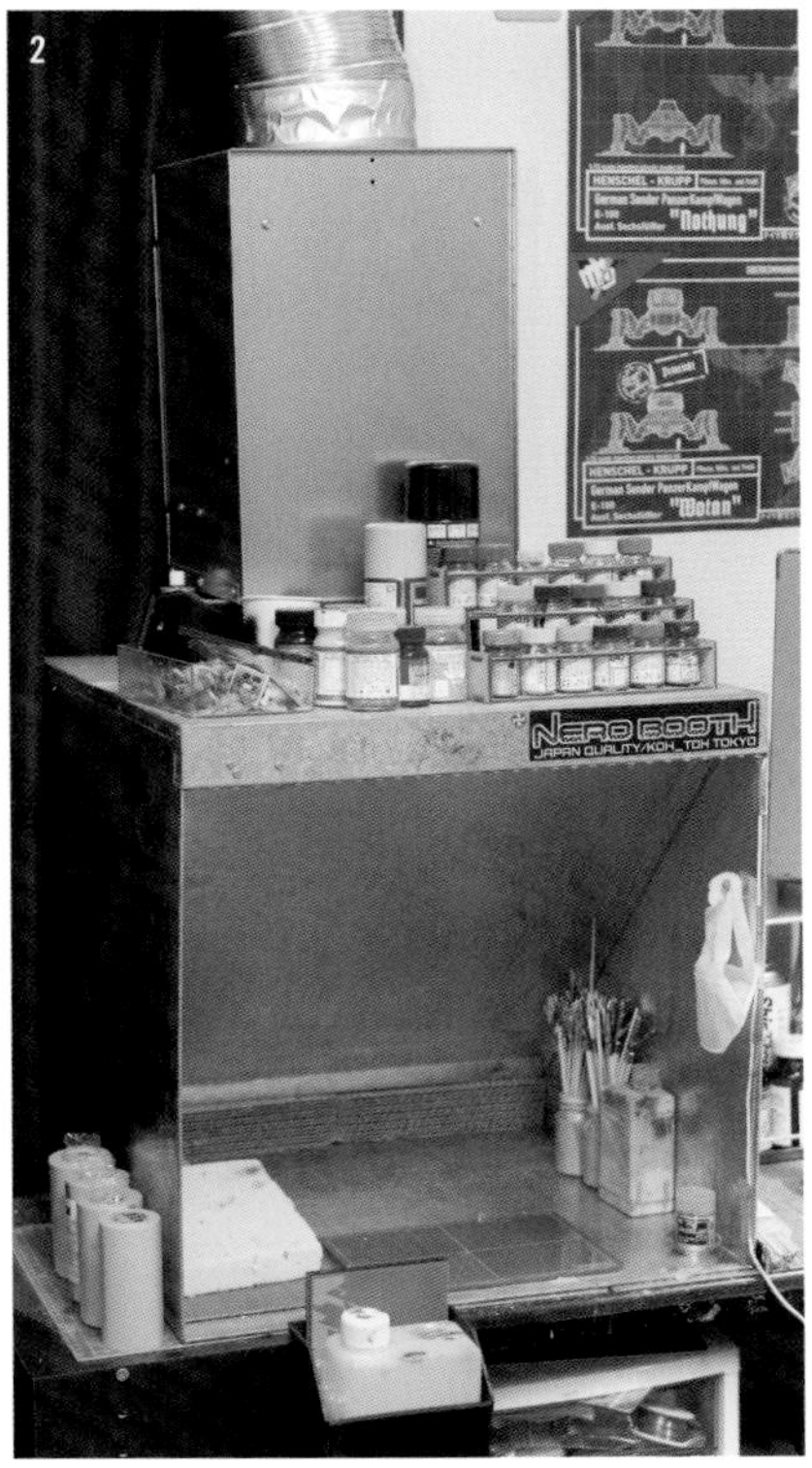

4
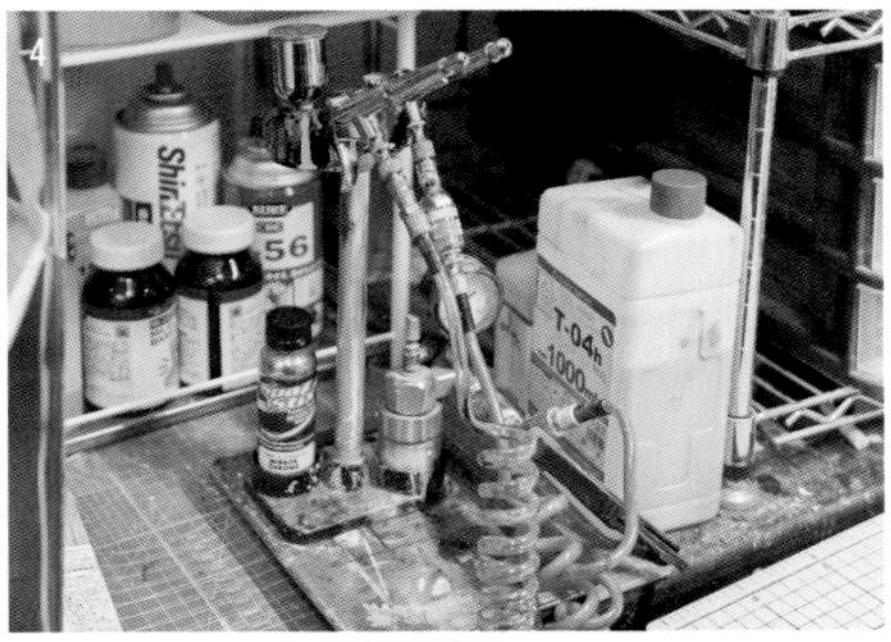

5

6
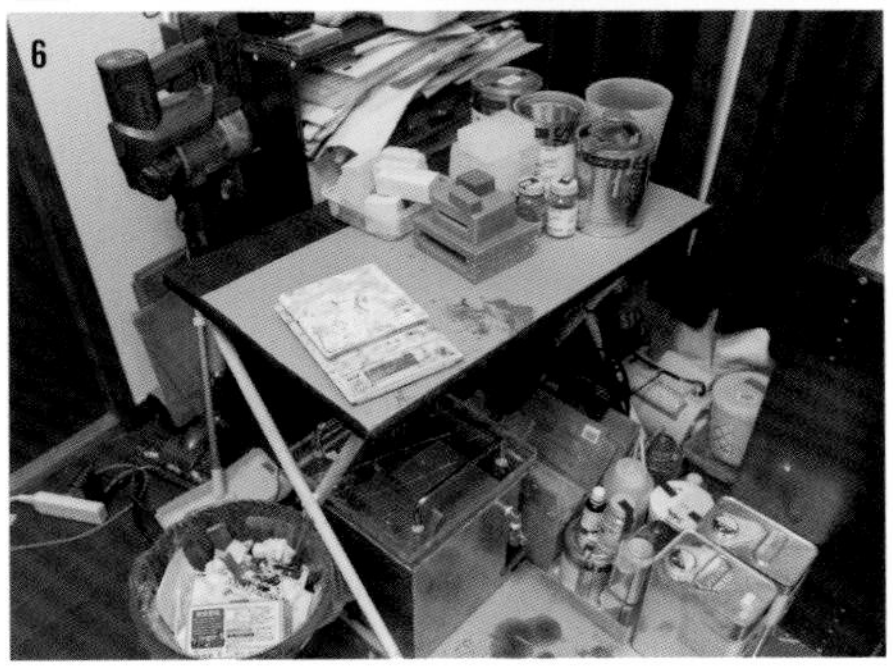

ココがPOINT!

すべての作業を立たずにこなす

省スペース内で、立たずにすべての作業をこなすために必要がこの椅子。夏場に蒸れにくいメッシュ素材のものをセレクトしている

置。塗装作業のほか、複製するときのレジン臭の換気にも役立ち、貼り付けタイプのLEDライトと背景紙を仕込むことで簡易撮影ブースにもなる優れものです。

複製作業は8年近くずっと使っている圧力ナベで作った加圧脱泡器と真空槽がメインウエポン。いままでは造形サークルの仲間で資金を出し合って購入した真空槽をシエアしていたのですが、去年ようやく自分用の真空槽を購入し、自分の好きなタイミングで自由に真空複製ができる環境を手に入れました。これから造形イベントでの複製を中心に大いに活躍してくれることでしょう。また、複製作業用に専用の簡易デスクを置くことで複製作業の傍らに別の作業をアナログ作業スペースで同時進行で行なうことができるのもポイントです。

そして真空槽と同じく、去年ようやく液晶タブレットやZBrushなどのデジタル造形用の設備を導入しました。まだまだ勉強をはじめたばかりで覚えることも多いのですが、パテやプラ板での造形と併用しつつ、さらに造形の幅を広げていけたらいいなと思っています。将来的には3Dプリンタの導入も計画しているので、いまからどのようなレイアウトにしようか、ウキウキしながら悩んでいるところです。■

●自分の模型作業用テーブルを奥に設置、奥様の創作活動用テーブルを手前に置くものの、いつのまにかその両方が模型製作用テーブルと化しているという……

Kazuya FUKUDA

作業専用に一軒家一階のひと部屋を確保。夫婦共同の創作部屋が作業場に

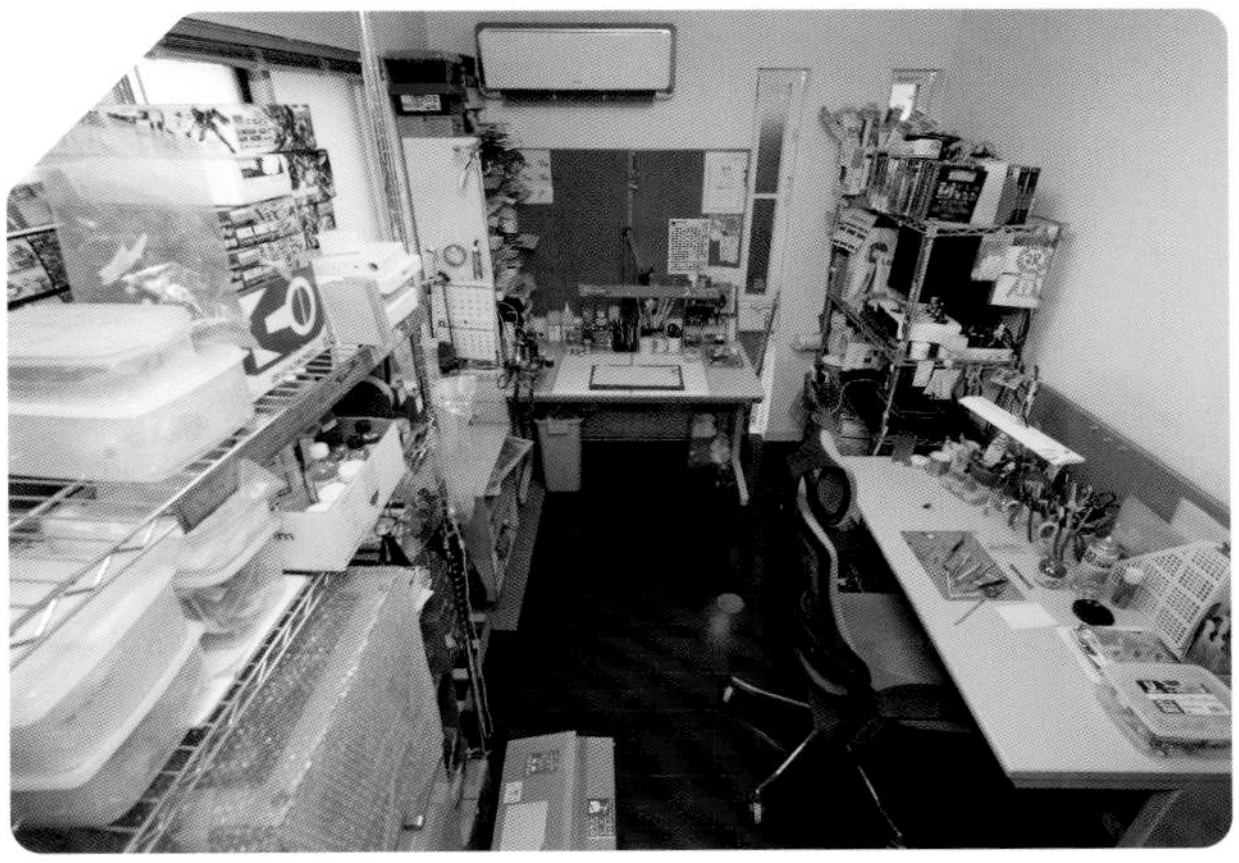

さまざまな模型誌などで作例を発表し活躍するフクダカズヤさんは、家を建てた際、一階の玄関よこのひと部屋を作業スペースとして割り当てました。奥様との共同の創作スペースとしたその空間にはどういった工夫が込められていたのでしょうか

フクダカズヤ

'77年生まれ。2011年に行なわれた第一回ガンプラビルダーズワールドカップで「ニャッシマー」の作品と共に名を広めたプロモデラー。型にとらわれないギミックを取り入れた個性的な作例を得意とし、各模型誌などで活躍中。自動車試作を手掛けるモデラー出身という意外な一面を持つ一児の父

「理想の作業部屋がほしかったんじゃなかったのか？」と原点を思い出し、現在のかたちに

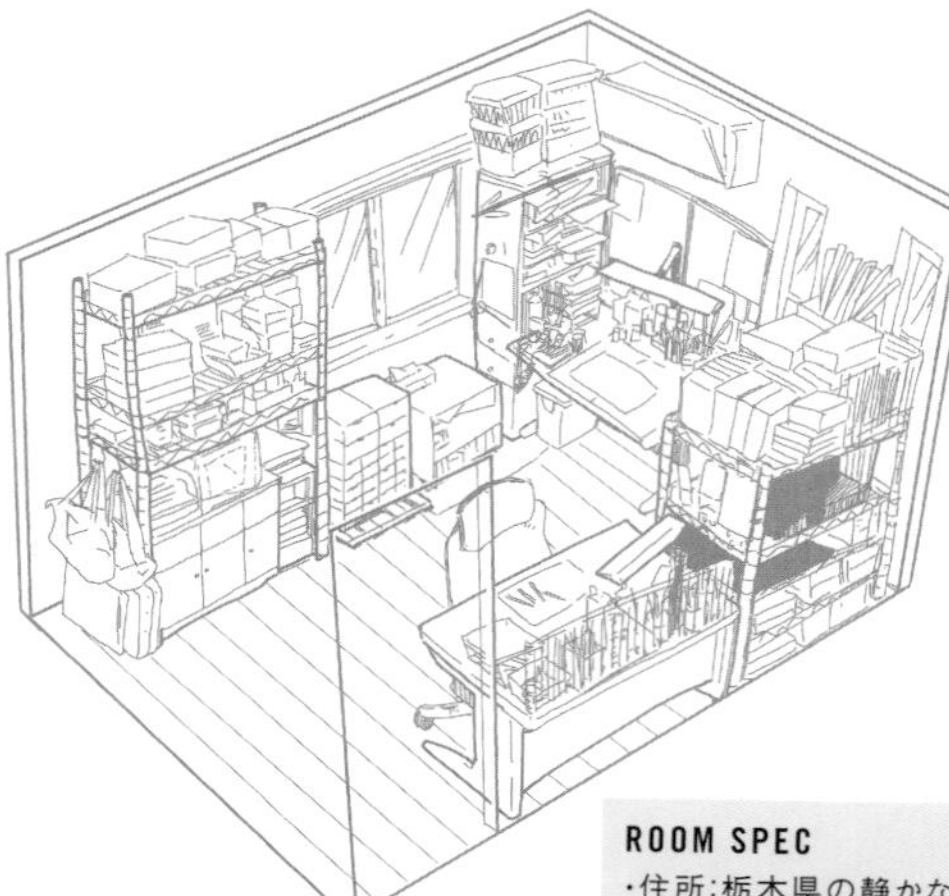

ROOM SPEC

- 住所：栃木県の静かなとこ
- 住居形態：2階戸建て
- 築年数：10年
- 間取り：130㎡ 5LDK（一階の5.7畳を作業部屋に使用）
- 家族：妻、娘、猫

1 室内にTV環境とDVD環境をそろえるも作業中の稼働率は決して高くない。**2** 手前、入り口近くに設置した奥様の作業机ではフクダさん自身の工作や、レジンキャストによる複製作業に使っている。

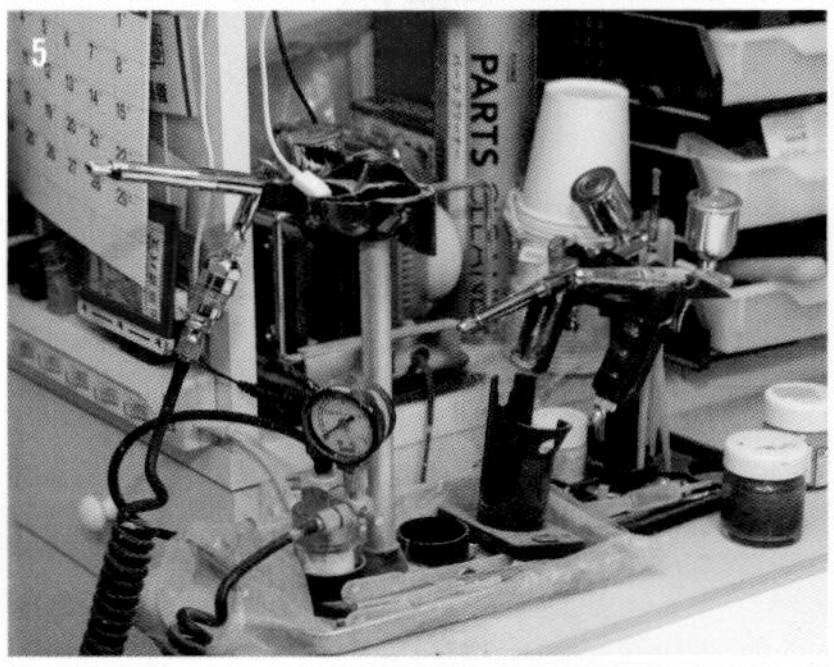

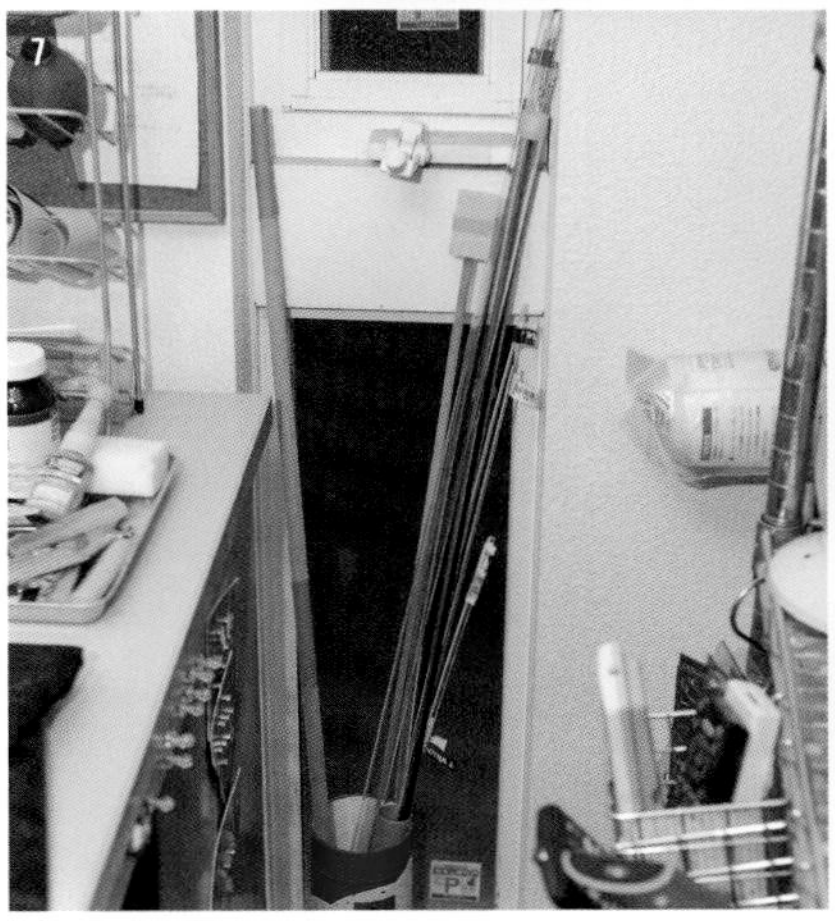

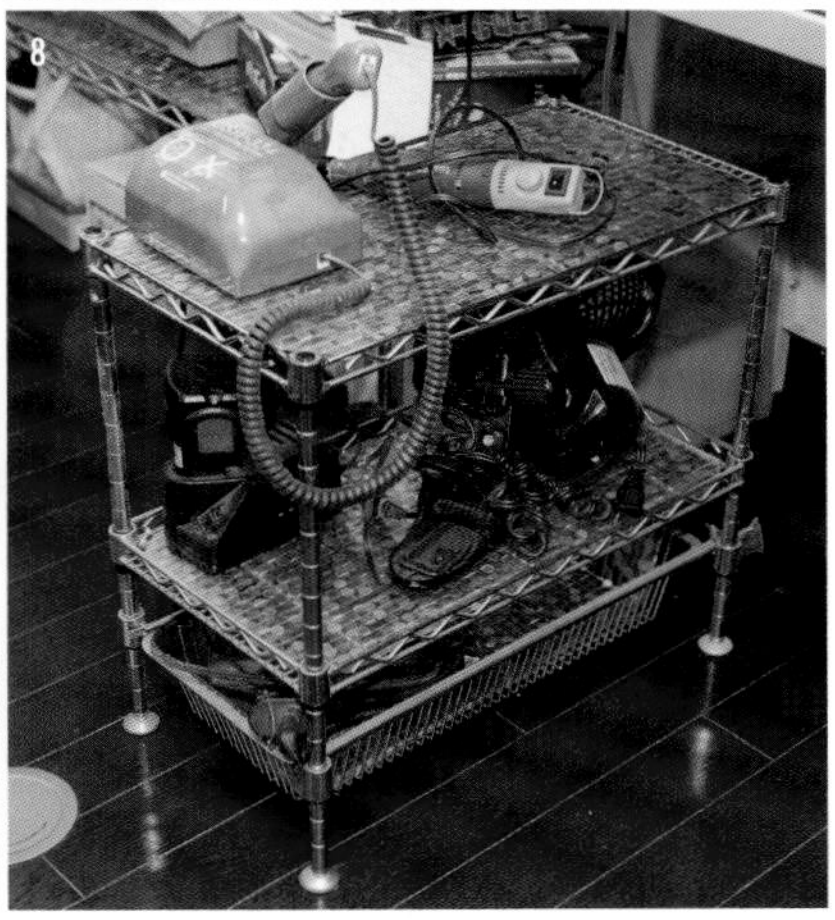

1 部屋奥のメインのテーブルには卓上に必要な工具類をペン立てで保管。**2** その机の奥にはコルクボードを設置。必要な資料などの展示／保管に活用している。**3** 差符部テーブルでは工作作業もできるようにナイフ類、ニッパー類も常設している。**4** メタルラックにはノートPCやタブレットを設置。**5** ハンドピースはメインにGSIクレオスのプロコンプラチナ 0.3、サブにプロコンBOY二本目とタミヤ スプレーワークHGトリガーを愛用。**6** メタルラックには無印良品のCDプレイヤーを設置。**7** 長いパイプや真ちゅう線は太パイプに差して管理。**8** 超音波カッター、リューターなどの電気工具類はメタルキャビネットに置き、机下で管理している

「家は3回建てると理想の家になる」といいますが……

3回も家を……とは困難ですが、模型をたしなむボクらとしてはせめて理想の作業部屋はほしいですよね。共通の趣味を持つボクら夫婦もそんな理想を形にしたいという気持ちが高まり家を建てる決意を。いざ設計をお願いするも「埋込型塗装ブース、もし位置を変えたくなったら?」「備え付けの棚……置けるものの大きさ限定されない?」など多々不安が。過去3回以上作業スペースを作った経験があってもゼロから作るノウハウにはならず。結果「理想の作業部屋」ではないけれど「趣味専用の部屋」となりました。

模型製作のボク用とPC作業の妻用、ふたつの机を向かい合わせ窓際に置いたり、窓に背を向けるように机を並べたり、ちょっと変わったコンセプトで2度模様替えをしましたが、机からはみ出したモニターや塗装ブースのホース、それら用の多数のOAタップ……と動線を阻むものが多数で、着席するまでの移動が困難でした。

「専用の作業部屋があるだけ恵まれているんだ……」と自身に言い聞かせていましたが、2011年ガンプラビルダーズワールドカップでの入賞を転機に作例製作を定期的に行なうようになると、次第に出しっぱなしになっていく道具類に埋もれ、卓上はどんどん手狭に。書籍資料や材料、ジャンクパーツなどもいつでも使えるようにと棚床関係なく積みました。そういった物であふれる部屋のなかでパーツ紛失は一大事。捜索には想像以上に膨大な時間を消費しました。またそういう行動が増えると誤って塗料をひっくり返すという惨事も。「理想の作業部屋がほしかったんじゃなかったのか?」と原点を思い出し、現在のかたちになっていきました。

机はお互いが邪魔にならない壁際に設置しましたが、妻は出産と育児で入室する機会も減りました。現在はどちらもボクが使用し、工作と複製用、塗装と仕上げ用とで使い分けています。積みプラや使用頻度の低い材料などはできるだけ別室やクローゼットに収納。頻繁に使う材料や素材、ジャンクパーツのみ近くに残し、モノであふれた環境をなくしました。一見不便ですが、出しっぱなしのモノって意外と使わないことのほうが多いんです。必要な時に出せばいいだけなので以前のような窮屈な不便さは感じていません。

粉塵対策でPC作業は別室で行なっていましたが、最近子供がちょっかいを出してくるようになってきたので、ノートPCを1台この部屋に持ち込みました。■

ココがPOINT!

自作の塗装ブースでミスト知らず

窓際に設置してある木箱は展開すると塗装ブースに。使用するときは、フード部分を広げ、排気官はジャバラのアルミダクトを引き出して自作のアダプターを使って窓に設置する

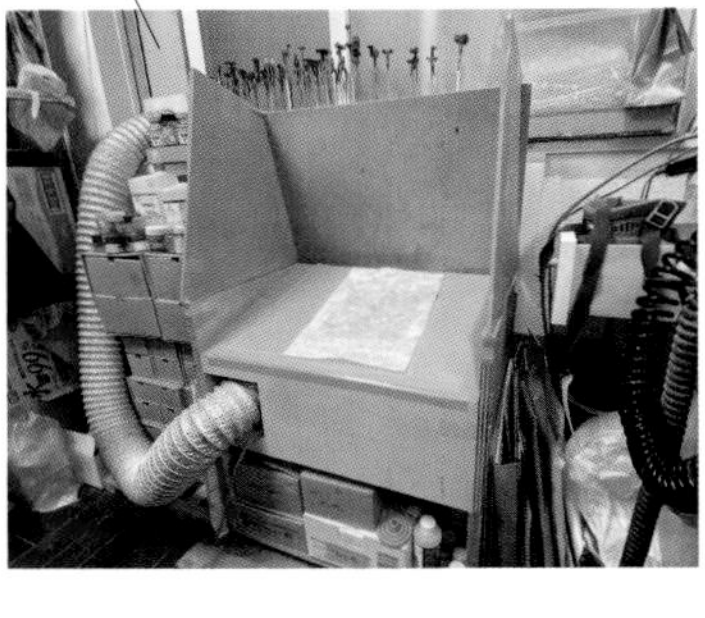

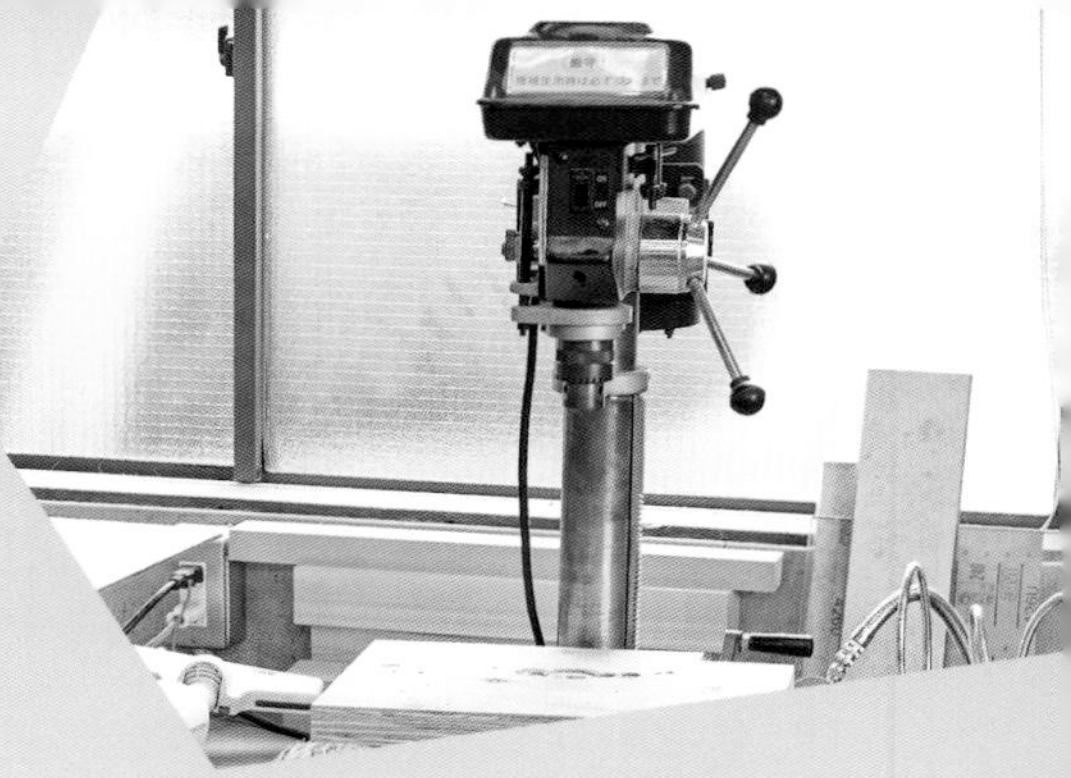

いっそテーブル作っちゃう?

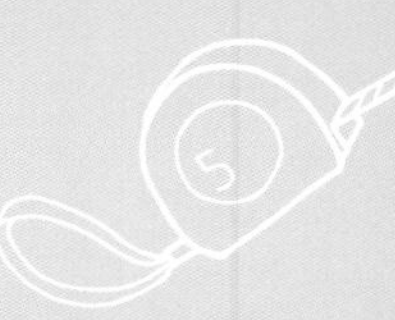

【特別企画】模型製作に特化した、作業テーブルをDIYしたい!!

ここまでさまざまな模型部屋を見てきましたが、
ポイントとなるのが作業テーブルだということにお気付きでしょうか?
そこでここでは、個人でDIYで理想のテーブルを
作ってしまおうという特別企画をご用意しました。

●道具の基本的な使い方からはじまり、本格的な木工の基礎を習得できる木工教室を主催してます。家具職人として経験を積んだ講師からさまざまな技術を学ぶことができます。無料体験も実施中です。

教えてもらう人

ウッドワークセンター店長
長岡 三恵先生

職業訓練校で家具作りを学ぶ。いくつかの木工所で家具職人を経たのち、ウッドワークセンターの立ち上げから関わる。現在は木工旋盤のスキルアップ中

今回お世話になったお店

WOODWORK CENTER
〒249-0003
神奈川県逗子市池子1-8-3
☎ 046-884-9581
fax 046-884-9582
http://soudankaguya.com/wwc/

自分で作る理想の模型作業テーブルとは？

塗装ブースを卓上に常設しつつ、そのよこで工作作業が可能なスペースを確保。
同じ並びにPCを設置し、資料閲覧や3Dモデリング作業なども可能なスペースをもつ
テーブルがあれば、模型部屋製作の中心になるのではないか？と考え寸法を出してみた。

［コンセント］

自分で机を作るならちょっとした細部にも気をつかってみたい。卓上で常設、通電させる電気器具以外に、ハンダごて、ドライヤー、グルーガンなど電源を必要とする模型作業は以外と多いもの。そういった際にテーブル下から電源をとることができると非常に効率がよくなるので、机下の邪魔にならないところにコンセントを設置してみた。

［高さ］800㎜

通常の事務机が天面が700㎜なのに対し、手元作業が多くなる模型机では、天面を上げることで背中を丸めることなく長時間の作業が可能になる。そこで天面を800㎜まで上げることとした。800㎜は立って作業する際にも適切な高さといわれている

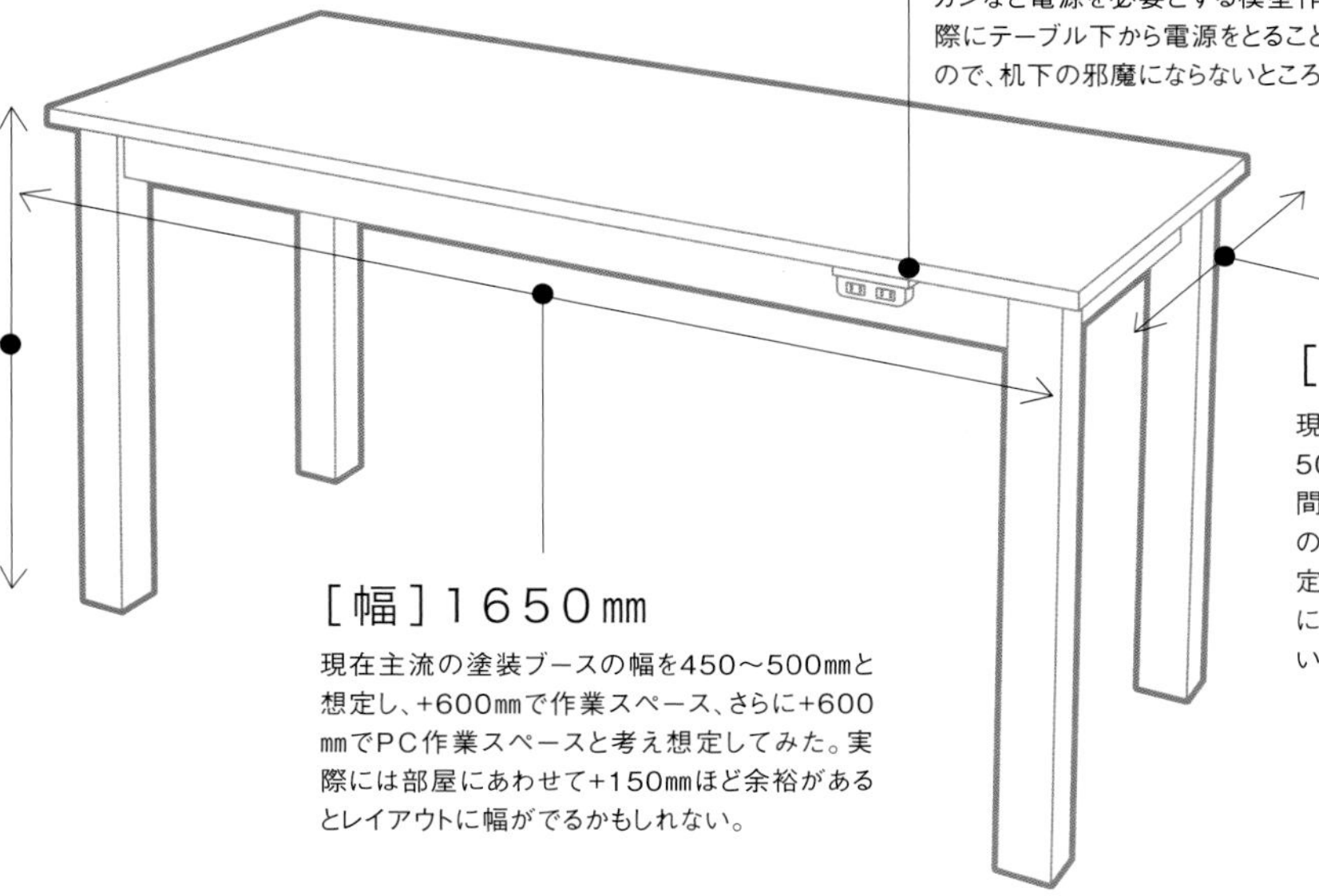

［幅］1650㎜

現在主流の塗装ブースの幅を450〜500㎜と想定し、+600㎜で作業スペース、さらに+600㎜でPC作業スペースと考え想定してみた。実際には部屋にあわせて+150㎜ほど余裕があるとレイアウトに幅がでるかもしれない。

［奥行］700㎜

現在主流の塗装ブースの奥行きを500㎜と想定。その手前の作業空間を200㎜あれば調色、エアブラシのセッティングなどが可能と考え設定した。奥行きがありすぎると椅子に座った場合、手が奥まで届かない場合がでてくる。

…といった理想を相談し、実際に先生に作業机を設計してもらいました。

【図1】

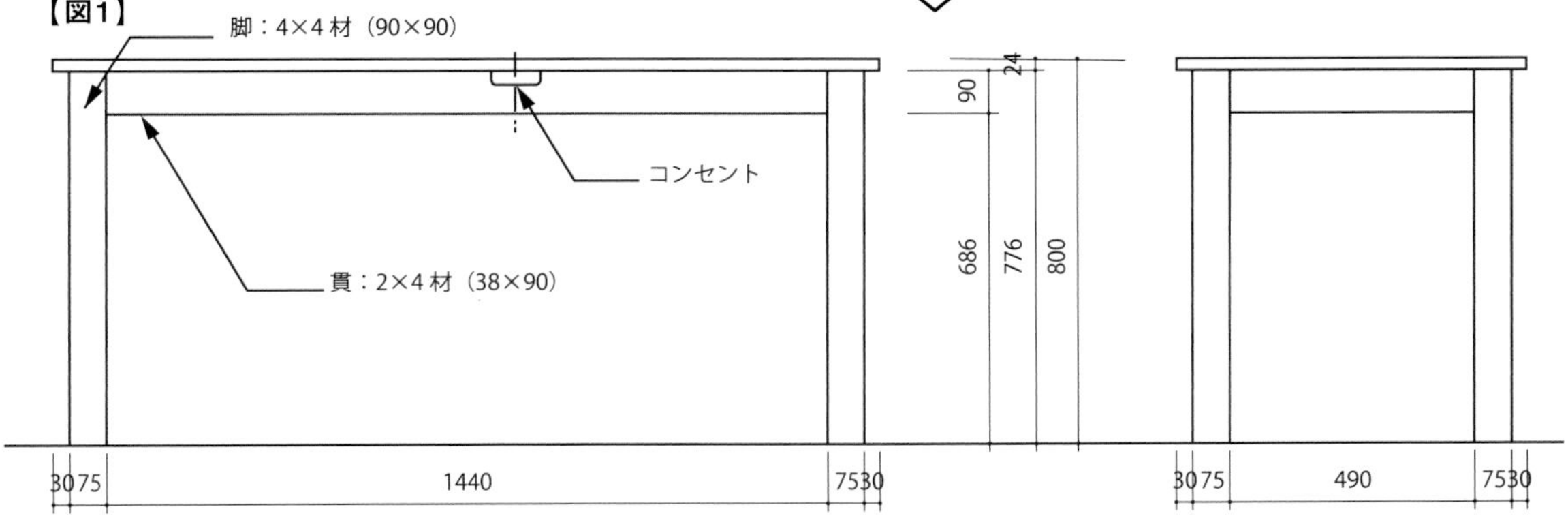

作業テーブル&寸法図

具体的には、コストも考え、合板を天板とし、2×4木材で天板裏の幕板を、75角の木材で脚を作ることとした。これならDIYショップで材料を購入後、ショップ内で寸法にカットしてもらえば、DIY素人でも組み上げることができる、という案配だ。テーブルの奥行きは700㎜より狭くする必要はないだろうが、長さに関しては各自自宅の都合に合わせて伸ばしてもいいだろう。

【図2】

【図4】

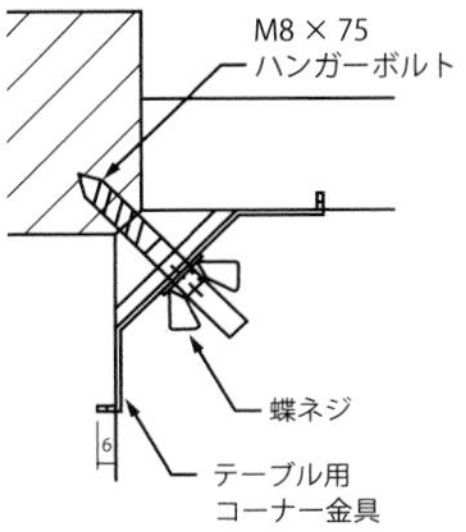

【図3】

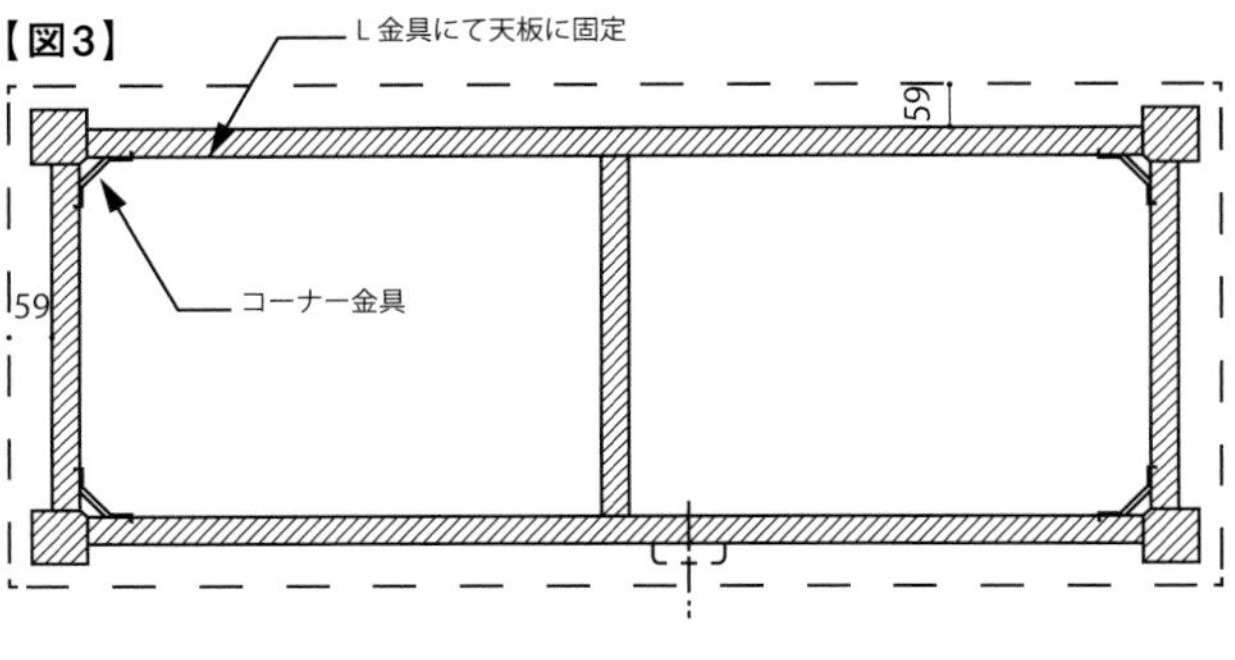

【図5】

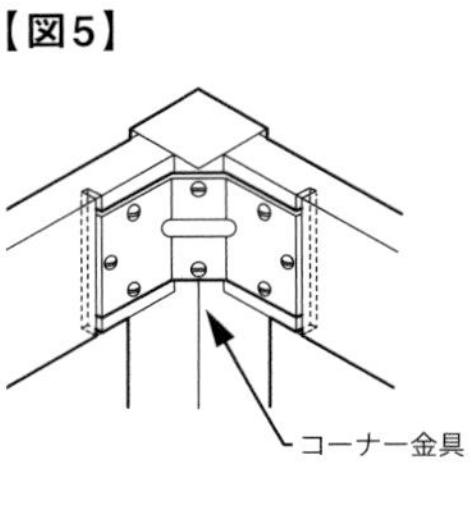

具体的な材料は……

- ●シナランバー合板 1650㎜×700㎜×24㎜
- ●ホワイトウッド 75角 776㎜ ×4本
- ●SPF材 2×4 1440㎜ ×2
- ●SPF材 2×4 490㎜ ×2
- ●SPF材 2×4 506㎜ ×1
- ●コーナー金具×4
- ●M8×75ハンガーボルト ×8
- ●蝶ネジ&ワッシャー ×8
- ●そのほか固定用木ねじ

＜これらをホームセンターで買った場合＞

概算¥2万3000。

（材料など購入方法や店舗により変動）

1 まずは材料を切り出す

まずは各材料を寸法どおりに切り出そう。各DIYショップでは「パネルソー」と呼ばれる大型の専用機械で指定した寸法どおりにカットしてもらえます

天板に小口テープを貼る 2

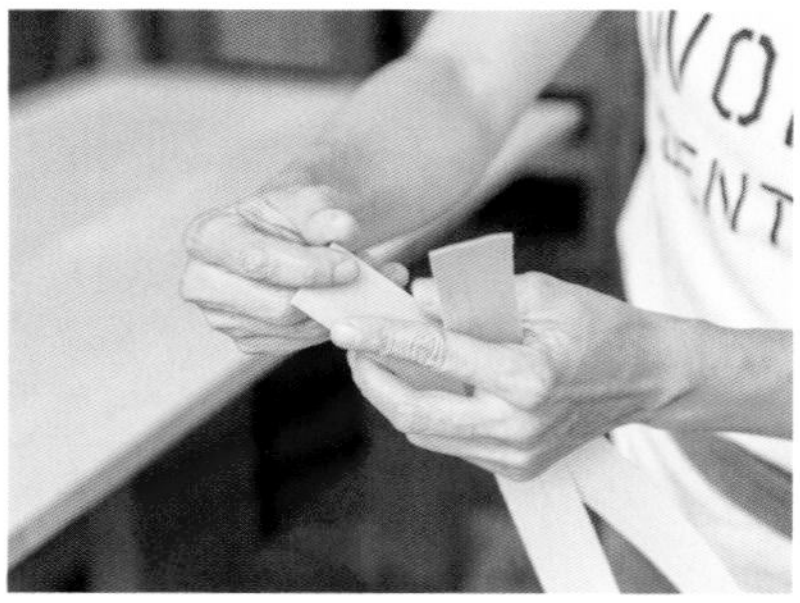

積層合板やランバーコア合板などはカットした面「小口」が目立ちます。そこをキレイに仕上げるためのテープ「小口テープ」を貼って仕上げます。木製でカットやヤスリがけも可能です

小口テープは粘着テープになっていますが、より密着させるためにゴム系の速乾ボンドを使用してより強固に接着することにします。失敗しても専用のシンナーで剥がすことができます

先にカット面に180番の紙ヤスリをかけバリを取ります。その後、速乾ボンドはブラシで内側から外側に向って塗布します。フチに糊を載せるように塗布し、3分乾燥させます

天板の長辺を長手、短辺を妻手といいますが小口テープは妻手から貼るとキレイに仕上がります。天板は24㎜厚ですが、それより幅のある小口テープを貼ります。一辺側のフチを位置合わせして貼ります

小口テープを貼ったら、今度はその上から圧着します。木の板を当て、金槌などで押さえる方法もありますが、ここでは専用のスチールローラーを使用しました。圧着すると小口テープの接着強度が高まります

圧着したらテーブルのエッジ部分でカットします。当て木をしてカッターで切るだけでOKです。妻手を先に処理してから長手に小口テープを貼ります

天板より幅のある小口テープを使用しましたので、圧着後にはみ出した部分をカットします。よく切れるカッターの刃をしならせて当て木を沿えて、一気にカットしていきます

カットした断面はヤスリがけが可能ですので、板に貼り付けた180番の紙ヤスリを使ってヤスリがけをしてカット面を馴らしてやります

天板裏に墨付け 3

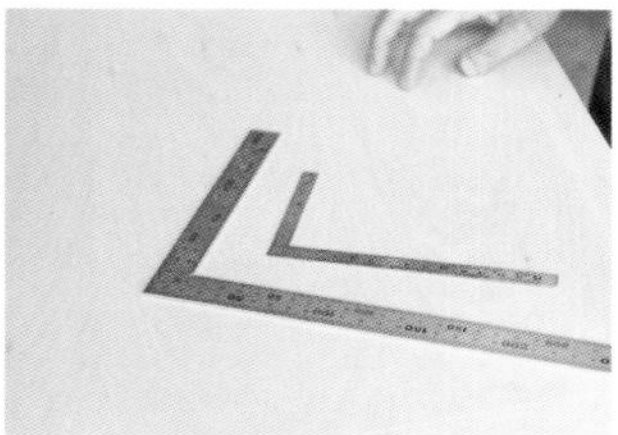

幕板や脚を固定する位置を書き込むことを「墨付け」といいます。P79の図面をもとに幕板や脚が付けられる位置を天板の裏面に書き込みます

使うのは大小ふたつのさしがねです。これと鉛筆をつかって、割り出した寸法にしたがって幕板位置、脚位置の墨をつけていきます。

幕板は天板のフチから59㎜内側に。脚は各フチから30㎜内側にくるのが正しい位置です。

一度墨入れした寸法を写し取るのに使うのがケヒキです。これをつかえば59㎜、30㎜といった一度墨を付けた寸法を簡単にほかの部位に移すことが可能です

位置のチェック 4

天板裏に幕板を置いて墨の位置が正しいかチェックします。幕板のゆがみなども見ておくといいでしょう

脚も置いてみます。ショップでカットしてもらった木材は垂直がでているはずなので、この時点で墨と位置があっているはずです

脚と幕板はコーナー金物を使って固定することにします。コーナー金物を幕板に固定するには溝をほります。現物合わせで溝の位置を確認します。

金属スケールで位置を割り出します。この寸法は使うコーナー金属によって異なりますので現物を当てて測りましょう

幕板に溝加工 5

幕板に溝を掘るにはノコギリで切れ目を入れます。5㎜ほど溝を切りますが、丁寧に作業するにはこういったソーガードを使うのもいいでしょう。

ソーガイドは、木材を正確に切断するためのノコギリ補助道具です。今回は90度で5㎜の溝を設定しました

溝を加工した状態です。合計8箇所に溝を切りますので位置はケヒキで写し取りました

天板裏の墨を引いた部分に当てて位置を確認します。脚も乗せてコーナー金型を当てて確認してもいいでしょう

6 幕板にビス下穴加工

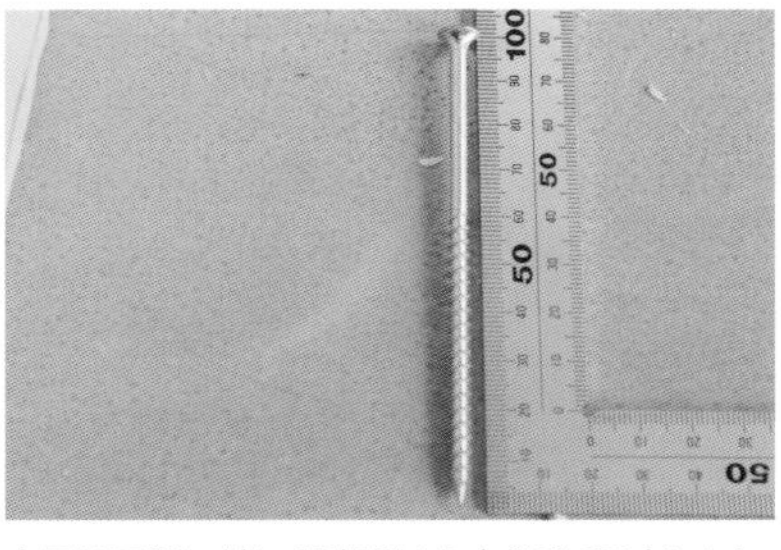

今回は天板に対し、幕板側から木ネジで固定します。使う木ネジの長さは100㎜です

今回は木ねじが天板の2/3ほど埋まってくれるように調整します。

下穴を開ける位置を決定し、墨付けをします。150〜200㎜ほどのピッチで下穴をあけます

一本に墨付けをしたら、同じ部材は並べて位置を写し取りましょう

幕板の高さが90㎜なのを考えると、ダボ穴のほかに10㎜ほどボルトの頭が埋まる皿取り穴を開けます。

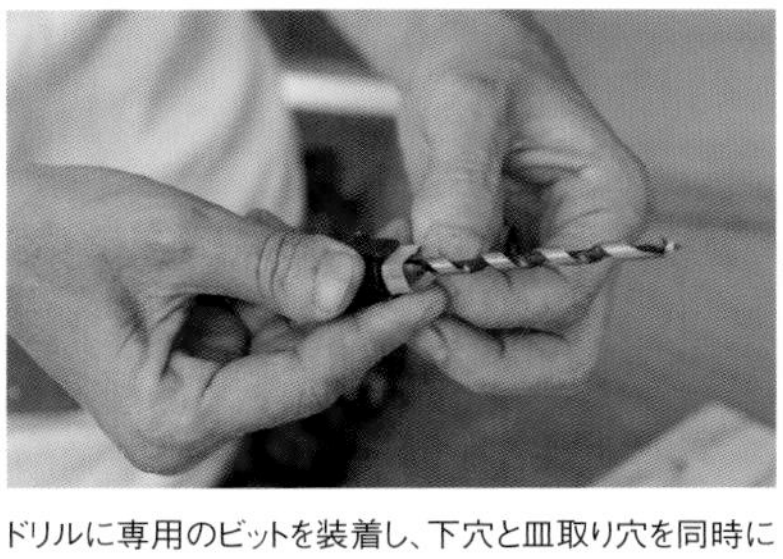

ドリルに専用のビットを装着し、下穴と皿取り穴を同時に開けます。深さの目安としてマスキングテープを巻きます。

皿取り穴はマスキングテープを目印に、掘る深さを調整します

使用しているのはインパクトドライバーです。トルクを調整できるのが特徴です

使用するドリルは5φです。貫通させる必要があるので必ず捨て板を引きます

加工が終わったら材料を配置し、コーナー金物が正しくはまるか確認しておきます

すべての幕板に穴をあけることができました。長い幕板で9箇所、短い幕板には4つの下穴をあけました

捨て板を引いて作業することで、開口面をキレイに仕上げることができます

脚の欠き取り加工 7

できれば45度に固定できるジグがあるとこの作業は安定してすることが可能です。ない場合でもバイスで固定しましょう

脚の端から100㎜ほどコーナーを欠き取ります。断面幅が10㎜ほどになるような位置に墨を引きます

脚をコーナー金物に固定するにはハンガーボルトを使用します。その取り付け面を加工します

左右からもノコを引いてある程度切れ目を入れていきます。縦びきのノコをつかいます。

先に100mmの位置にノコを引きます。横びきのノコを使います

ノコギリには縦びきと横びきがあります。今回のように木材を直角に切る場合は両方使います。

使用する電動ドライバーはインパクトドライバー。回転に打撃が加わるため、普通のドリルドライバーよりパワフルに作業が可能

欠き取りが終了した状態。この程度の精度の欠き取り状態で問題ないです。

最後に上からノコギリを引いて角を約45度に欠き取っていきます。これを4本作業します

ハンガーボルトの取り付け 8

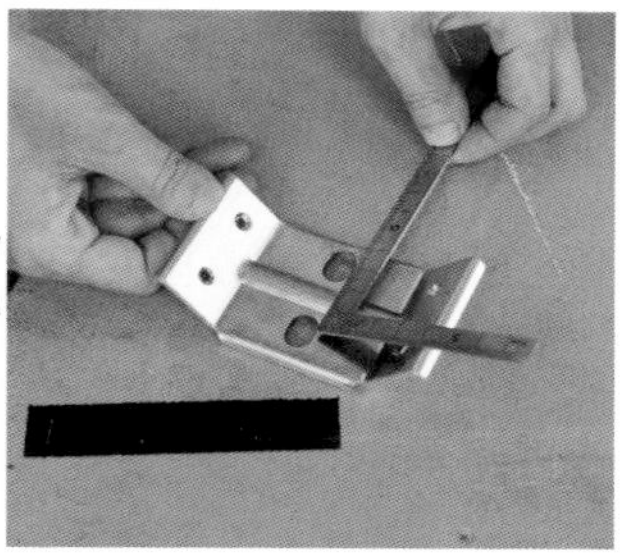
脚に固定するハンガーボルトのとりつけ位置はコーナー金物から位置を採寸します

脚の天板側から測り、取り付け位置を墨付けします

二本固定するので中心線も出し、位置決めをします

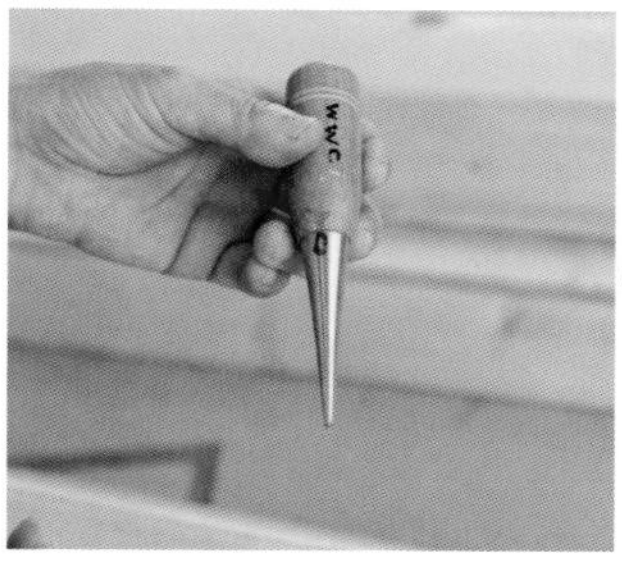
欠き取った面は平面ではないので目打ち(千枚通し)を使ってアタリをつけます

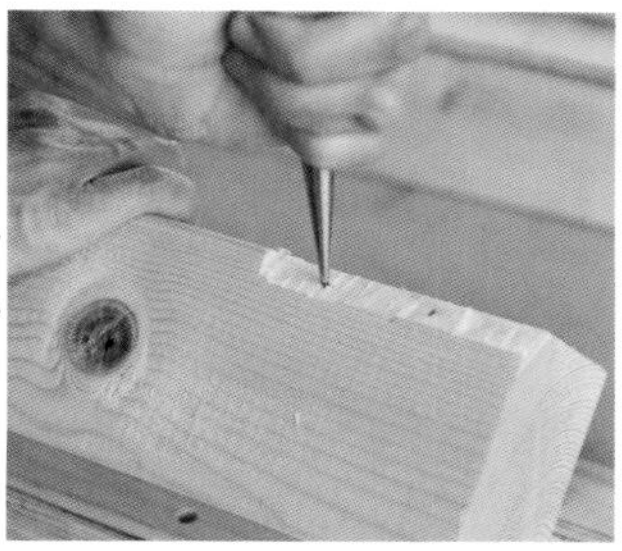
墨引きをした位置に目打ち(千枚通し)を押し当てます。ドリルでの開口位置になります

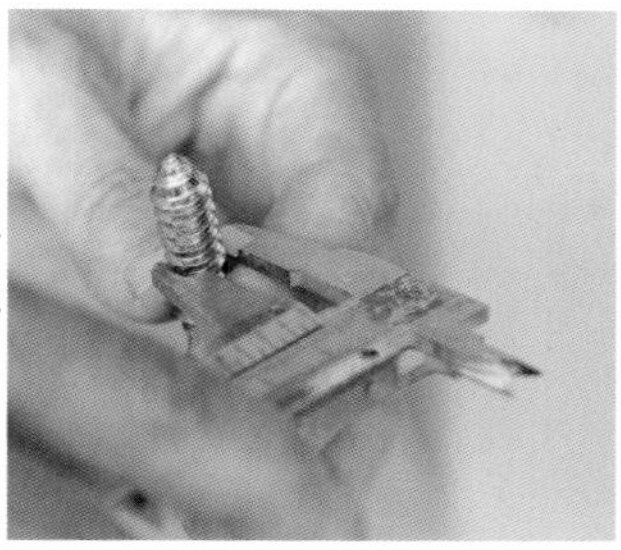
使用するハンガーボルトのサイズはM8×75で、木ネジ部の直径は8.5mmでした

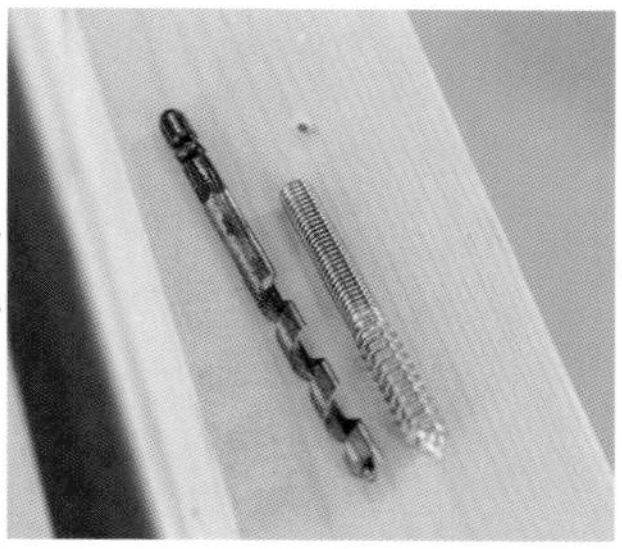
下穴はハンガーボルトより1mmほどほそい7mmのドリルを使います。

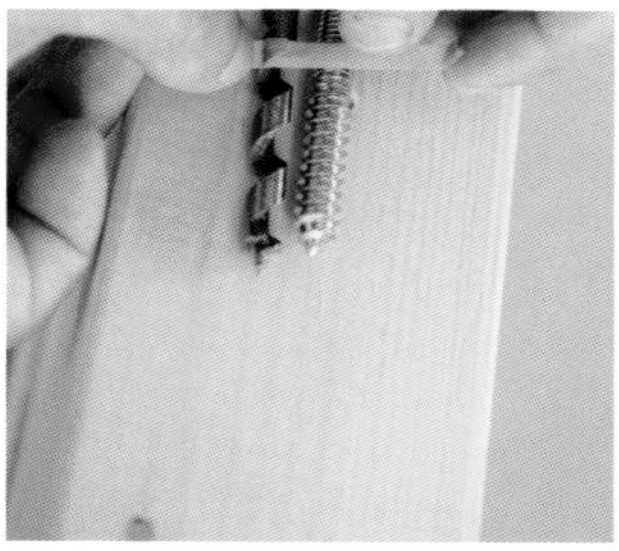
ハンガーボルトの木ネジ部と同じ長さだけ下穴を開けるのでマスキングテープで位置を決めます

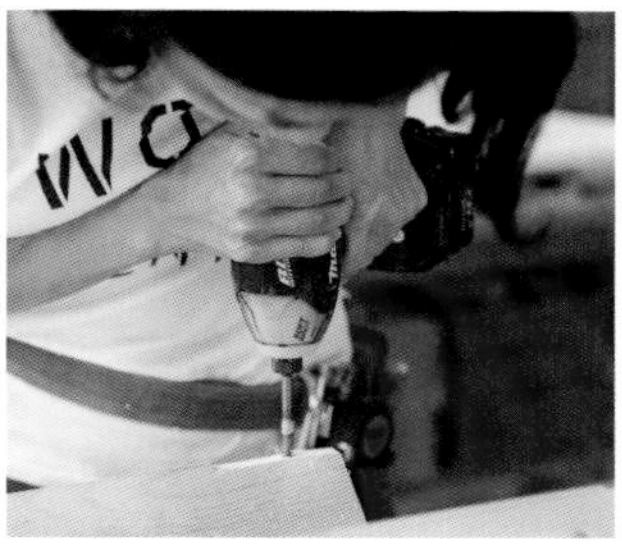
インパクトドライバーで下穴を開けます。深さの目印はマスキングテープです

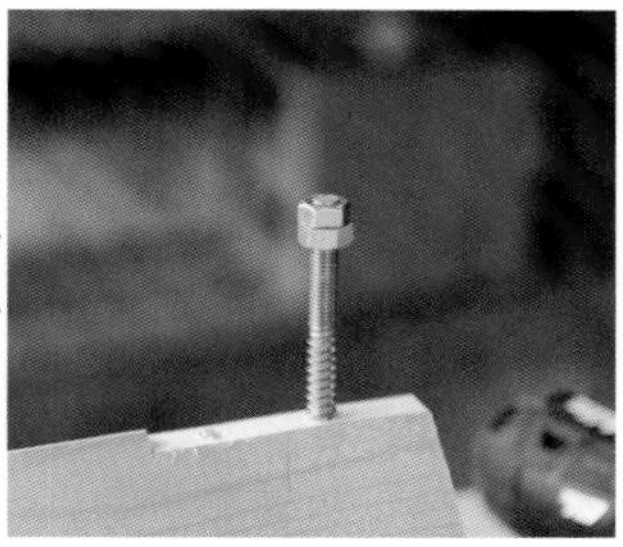
ハンガーボルトに互い違いにしたナットを二つ組み付け締め合います

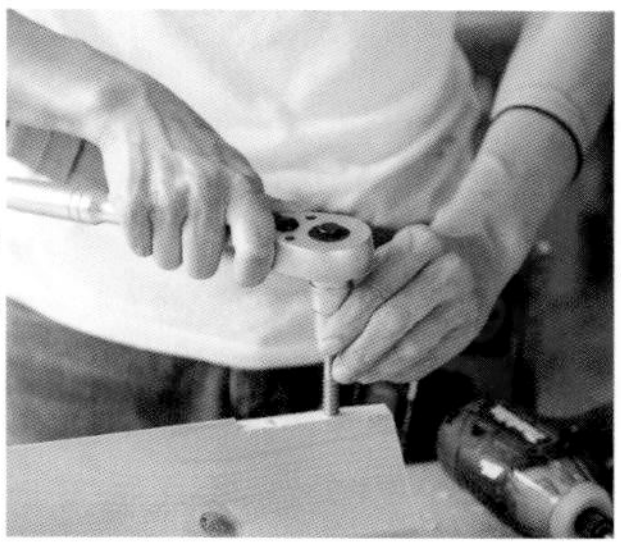
すると固定されレンチで回し混むことが可能になります。「ダブルナット」という方法です

脚1本につき二本。合計八本のハンガーボルトを固定しました

天板に幕板の取り付け 9

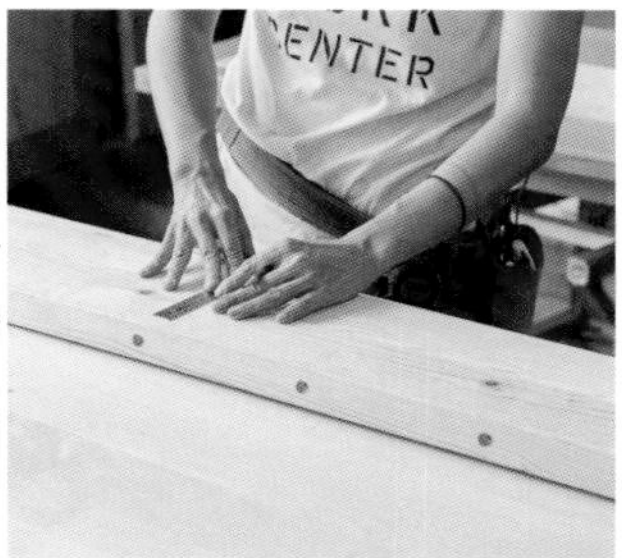
中央に取り付ける幕板の位置を決めます。位置を決めたらもう一本の幕板に写し取ります

固定する前に接着面のバリを180番の紙ヤスリで削り取ります。簡単でけっこうです

再度墨付けをした位置に各木材を置いていきます。間違いがないか確認します

正確に位置決めをしたいので、幅59mmに切り出した治具を準備しました

全体の配置がおわったところ。寸法などに齟齬がないか確認します

固定には木ネジのほか、木工用接着剤も使用します。均一に点付けしていきます

接着面を下にして貼り付けたら先ほどの治具を天板にクランプで固定します

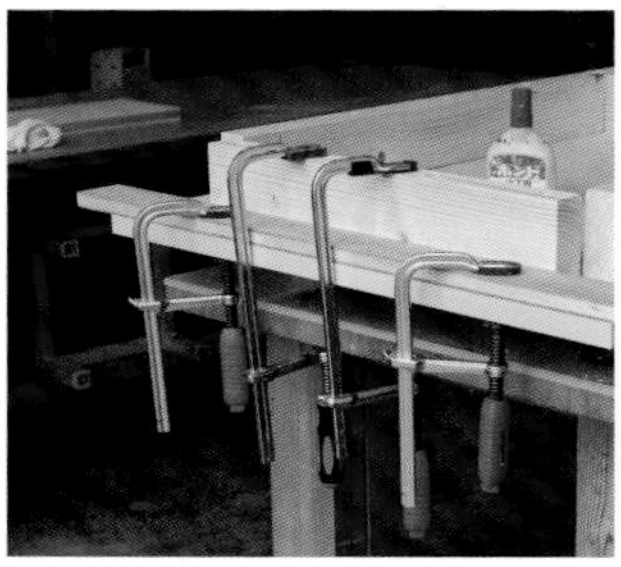
治具にぴったりと合う位置で幕板も位置の微調整をしてクランプで固定します

クランプで固定したら、インパクトドライバーを使って木ネジを固定していきます

側面の長い幕板も治具とクランプを使って位置決めします。長いので半分ずつ作業します

長い幕板はしなっていました。左半分を固定したのち、右半分はクランプで矯正しました

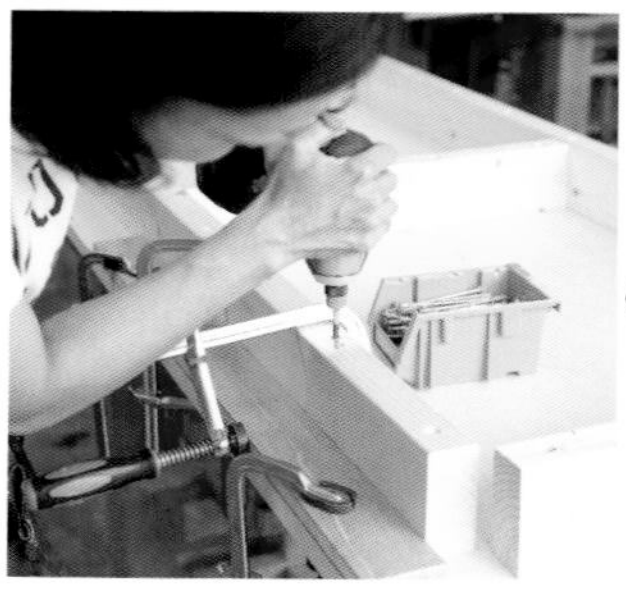

クランプで固定した状態で、木ネジで固定していきます。これで多少のしなりは矯正可能です

脚の欠き取り加工 10

中央の短い幕板を先ほど位置決めした部分に接着します。ここはなりゆきでOKです

接着後、横の幕板と垂直が出ているか確認したら木ネジで固定します

コーナー金物を固定します。脚に取り付けたハンガーボルトの位置から場所を決定

幕板の上から20㎜の位置に墨付けをします

位置が決まったらインパクトドライバーで金具を固定します

金具の穴はオーバルなので取り付け位置は上下に冗長性があります。4箇所固定します

脚を合わせてみます。位置決めを確実にしていればしっかり固定が可能です

4本の脚をワッシャーをはさみ蝶ナットM8で固定します。これで脚が取りつきました

歪みなく金具が固定できれいれば4本の足はキレイに天板に固定されます

脚の先端をサンドペーパーで軽く面取します。

机のカタチになりました。ここから一度分解し、今度は水性ウレタンで塗装します。そうすると表面の強度が増します。

完成!!

筆塗りによる表面の塗装が済んで完成しました。
今回は同じ素材で卓上の棚も作ってみました

●部屋の奥にテーブルを置いてみた場合。窓の位置を考えるとこの置き方がいちばん部屋の構築には最適かも

完成した作業テーブルをモデルルームに設置してみる

●窓際に置いてみた場合。採光を考えるとこのレイアウトも候補のひとつだろう

●今回は電源コンセントもテーブル下の幕板に設置していただいた

●6畳洋間ではこのテーブルをおいてもサイドに模型棚を設置するスペースがとれる

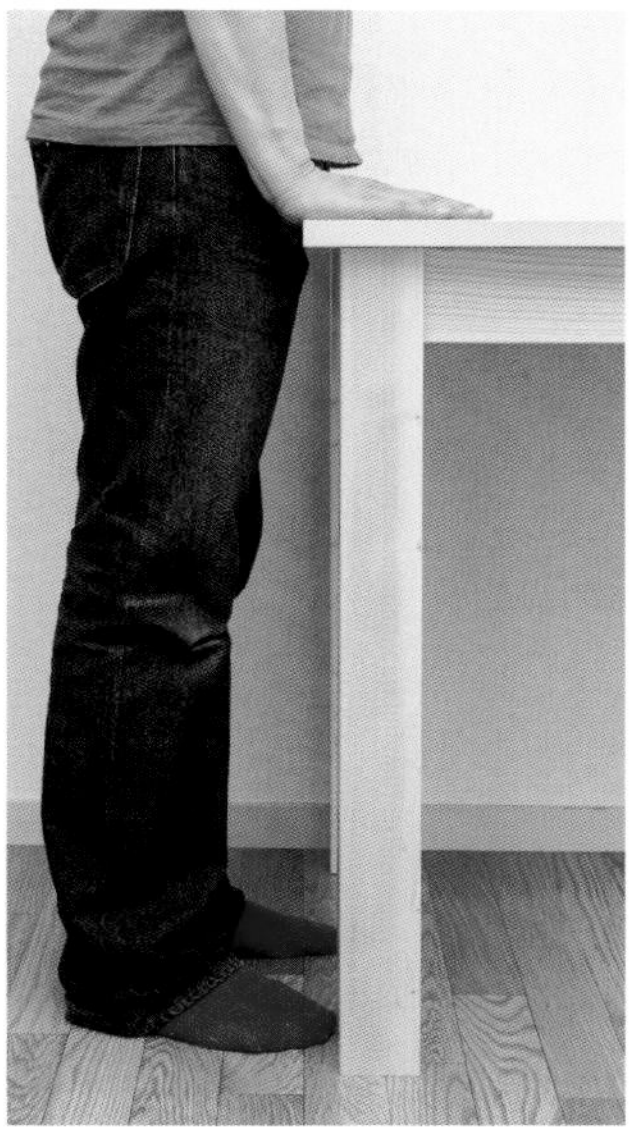

●テーブル高が800㎜だと大人の男性が立った場合、腰近くまで天面が来る。

初心者がDIY時に心がけるポイント

『段取り八分、仕事二分』

初めて自分でDIYやろう！と思った時に、ぜひこの言葉を思い出してください。きちんとした段取りができていれば、多少技術がなくてもそれなりになんとかなるものです。きちんとした段取りには何が必要か、いくつかポイントをお伝えします。

まず、絶対に必要なのが作るものの具体的な形と寸法です。寸法を考える時にここは絶対に守らなきゃ！という『守り寸法』をまず決めてください。その寸法を守りながらほかの部分を設計していきます。簡単で構わないので必ずスケッチや図面を描きましょう。特に材料が絡む部分は、どうなっているのか理解しておくことが大事です。縦の部材と横の部材とどっちが勝つのか、板厚分いくつ寸法がマイナスになるのか、どこの寸法を揃えなければいけないのか、よくよく読み込んでください。似た感じの既製品を真似するのも良い手です。

次に道具について、今回使用した道具の中で『これはあると便利！』なのはクランプ、バイス、そしてインパクトドライバーです。クランプとバイスはいわゆる固定道具です。これがあると作業能率も安全性も上がり、仕上がりもグンとあがります。クランプは基本セットで使いますので2本以上あると良いでしょう。インパクトは穴あけもビス打ちも一台でできるのでとても便利です。ただ、回転力が高いので慣れないうちはゆっくり回すことを心がけてください。とはいえ何より作業に際して重要なことは、『安全に作業できる』ということです。特に大きなものを作る場合、どう動かして組み立てていくのかスペースの使い方も意識してください。常に足元クリア、整理整頓が鉄則です！

理想のサンプル模型部屋を構築してみる!!

理想の作業テーブルが完成したならば、理想の模型部屋を作ってみよう!というわけでモデルルームに各種模型道具を持ち込んでレイアウトしてみました

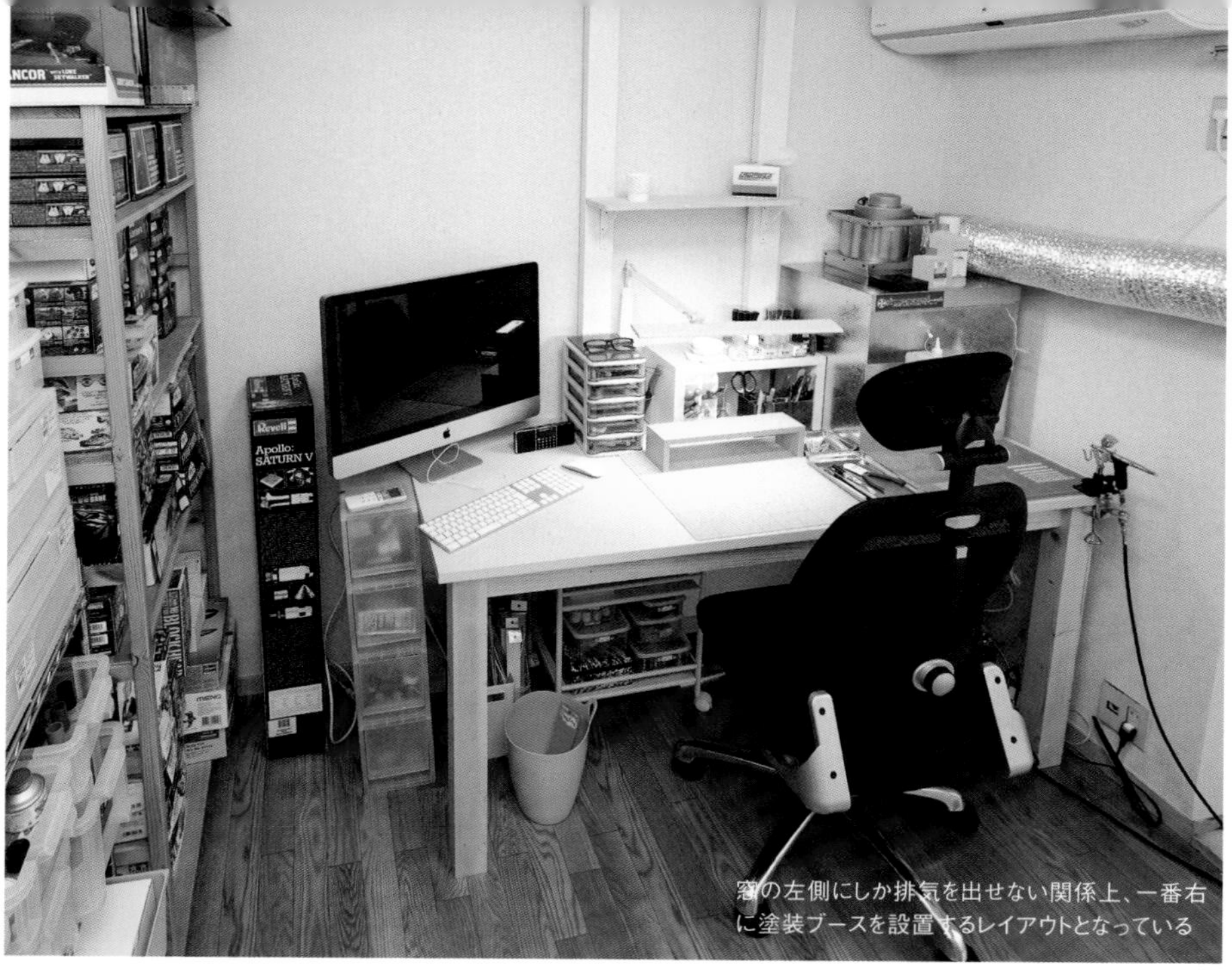

窓の左側にしか排気を出せない関係上、一番右に塗装ブースを設置するレイアウトとなっている

S A M P L E　M O D E L I N G　R O O M

1
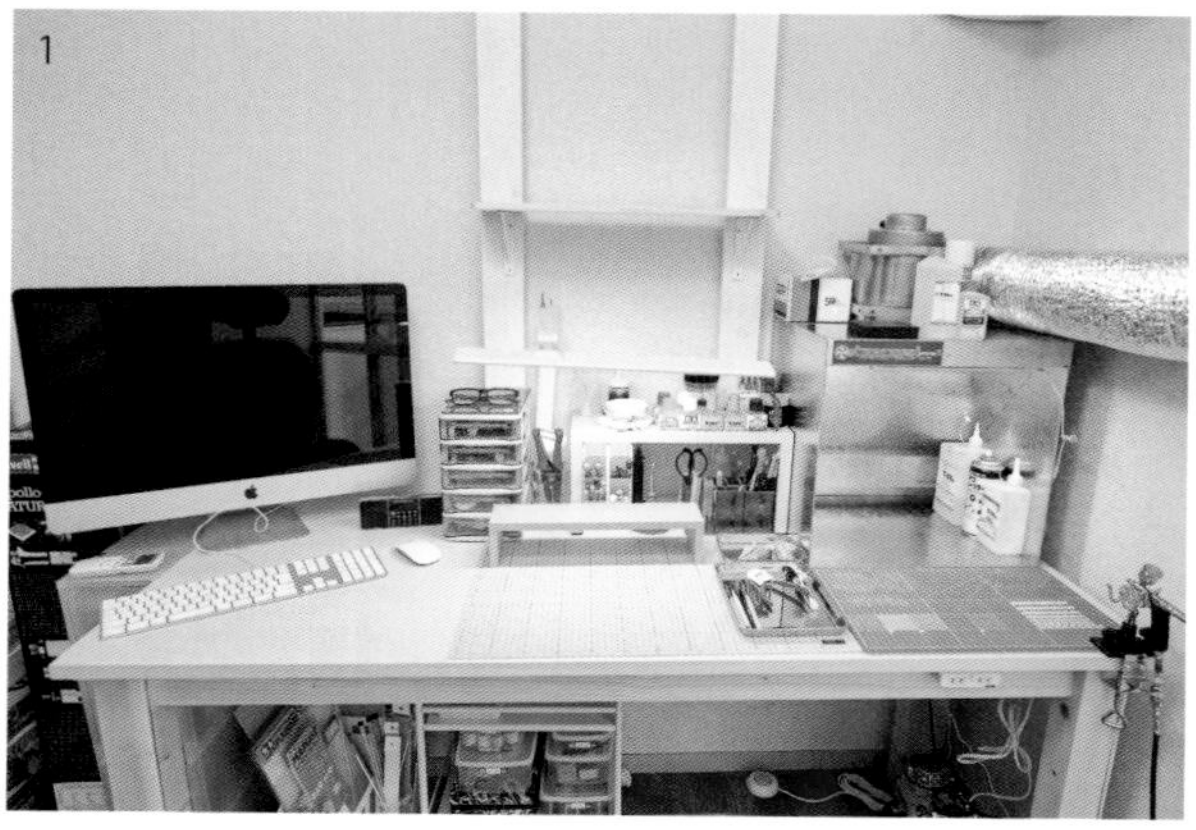

4

2

5

6
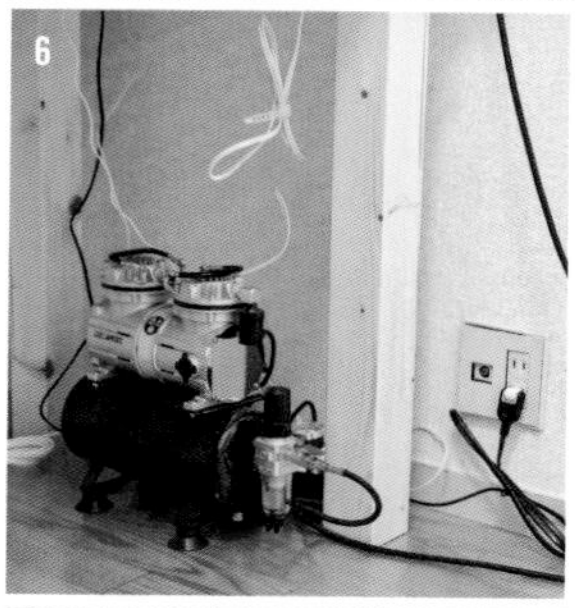

3

7

1 卓上全景。今回は工具を中心としたレイアウトとしてみた。**2** 2×4材を使用した棚。自由に棚を増設できるので、使い方によっては自由度が高まるだろう。**3** 椅子は2万円台のアジャスタブル椅子のなかで、アームレストが外せるものをセレクト（メッシュチェア／サンワ）。**4** ライトは長辺の長いLEDライトをDIYショップでセレクト。**5** 塗料は無印良品のポリプロピレンケースに収納。深さのあるキャスター付き書類ケースで管理してもいいだろう。**6** コンプレッサーはAirtexのAPC006D。ツインヘッド ダブルシリンダーで3.5ℓタンク搭載。**7** 塗装ブースは「ネロブースMINI（ガットワークス）」を使用。MINIといっても性能は変わらずファンのサイズが小さくなったもの。威圧感も少ない。

6畳ほどの洋間の賃貸ルームに今回製作した作業テーブルを設置し、模型部屋を構築してみた。塗装ブースを卓上に、コンプレッサーを卓下に床置きすることを基本としている。ブースを置いても作業スペース、パソコンスペースが充分にとられているのはご覧の通りだが、次は工具や塗料などをどう効率よく配置するかは工夫次第といったところだろう。

賃貸ということで排気用ダクトの穴を壁に開けられないこと。勝手に棚などを加えることができないことなどがネックとなるが、今回は卓上に棚を作り付けることにも挑戦してみた。使用するのは「2×4アジャスター」という、2×4材を任意の長さでカットし突っ張り棒の要領で壁に備え付けるというもの。これを卓上正面に設置し棚を設置してみた。この方法が多用できれば賃貸でも収納が増やせ、効率よい模型部屋が構築可能だ

04

Homely Style

家族のいるモデラーは何かしら家族との妥協点を
探りながら模型をたしなんでいる。
両立するには限られた時間や空間の
やりくりを考える必要があるが、
そのスタイルはやはりひとそれぞれといえる

Takeshi OHTUKA

ROKUGEN

Chougi

Hiroshi NSHIZAWA

Go NISHIMURA

Early Chop!

GattoNero

●フローリングの6畳の洋間は完全に模型のためだけに使用。窓際に塗装ブースを置いた机を設置し、メタルラックにいれた各種マテリアルを机横に置いている

Takeshi OHTUKA

実家のちかくで 模型製作が可能な物件をチョイス

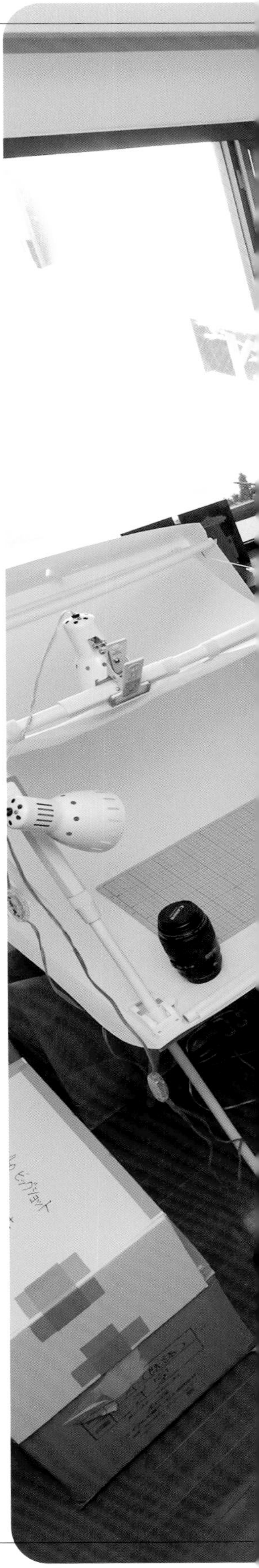

独身男性ながら模型環境構築を踏まえた物件選びにより、
都内に2LDKの物件を借りた大塚武士さん。
模型に関しては完全にひと部屋のなかで完結させることを
目指したレイアウトとしました。ひとり暮らしには
ちょっと贅沢なその模型部屋を覗いてみましょう

▲部屋の入り口側はいたってシンプル。できるだけ床に物を置かない主義

大塚 武士

本業は店頭販促物の設計とその試作制作という根っからのもの作り好きなもうすぐ50代独身サラリーマン。'80年代のミニAFVブーム以来、現在までAFV模型を作り続けている。着々と老眼と体力の衰えが進行しつつあり、最近は長時間作業はなかなか厳しい…

●製図用のテーブルを流用した作業机は道具、塗料、塗装ブースを載せているため若干手狭。整理整頓を心がけている

1

2

1 GSIクレオス製の塗料ラックを長年愛用している。**2** 卓上のほか、大概の工作用マテリアル類はこのメタルラックにあつめてあり、こと足りる。椅子から手が届くのがポイント

ROOM SPEC
- ・場所:都内下町
- ・住宅形態:賃貸マンション
- ・築年数:23年
- ・物件の間取り:2LDK
- ・作業部屋の間取り:洋間6畳
- ・家族構成:一人暮らし

いま住んでいる賃貸マンションに引っ越したのは1年半前になります。2LDKという間取りは独身者には贅沢と思われるかもしれませんが、寝室やキッチンなど生活スペースとは別に独立した模型製作環境がほしいとなると、このぐらいの広さの物件になってしまいます。しかし自宅内とはいえ模型部屋に入ると、「さあ集中して作るぞ!」という気持ちの切り替えができます。

いまの模型部屋で気に入っている箇所、つまりこの物件に決めたポイントはクローゼット。両開きの扉に上下に分かれた収納スペースは模型のストックや工具箱、完成品の箱などをたっぷり収納できます。私はそんなに神経質なほうではないと思いますが、それでも部屋にものが溢れかえっている状態はあまり好きではないので、これはだいぶ助かっています。

室内のレイアウトを考える際にポイントだったのは作業机の上に設置した塗装ブースと窓の距離。塗装ブースから延びたホースの先を使用するたびに窓に挟むことを考えるといまのポジションがベストなのです。

作業机の上は本当ならばものをあまり置かず広く使えるほうがよかったのですが、大学で建築学科へ行っていた弟からのお下がりの製図用の机のため引き出し類がなく、半ばしかたなく頻繁に使う道具、塗料類は机の上に置いています。ですがこれはかえって都合の良いことでほとんどの作業を机の上のものでまかなうことができています。

それでも長く模型を作っていると道具や塗料が増えてくるもの。私は使用頻度の低い塗料や道具は机の両サイドにあるメタルラックに、塗料やピグメント類であれば

ひとつの机を中心に、AFV製作に特化したシンプルな環境

1

2

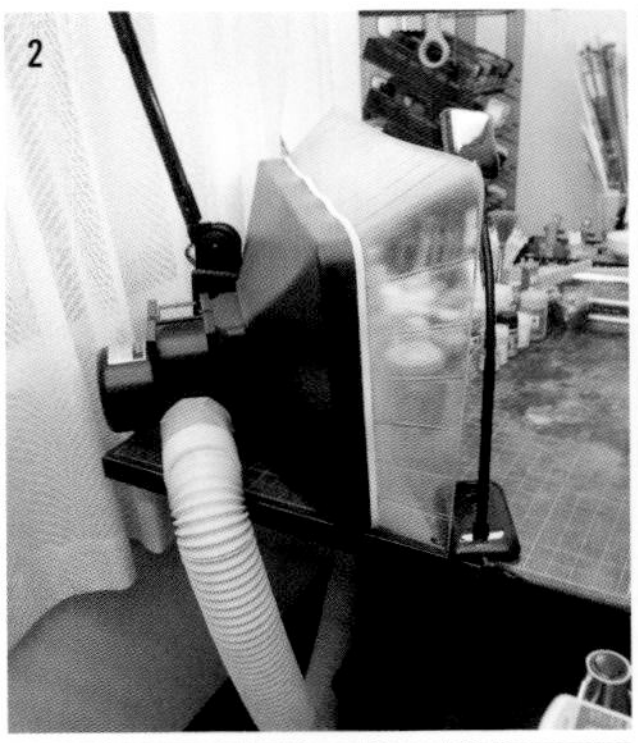

3

4

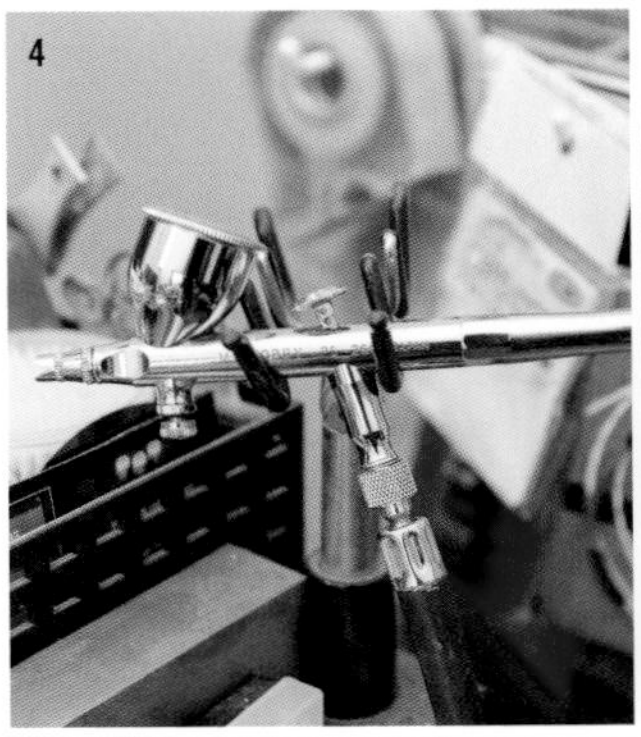

5

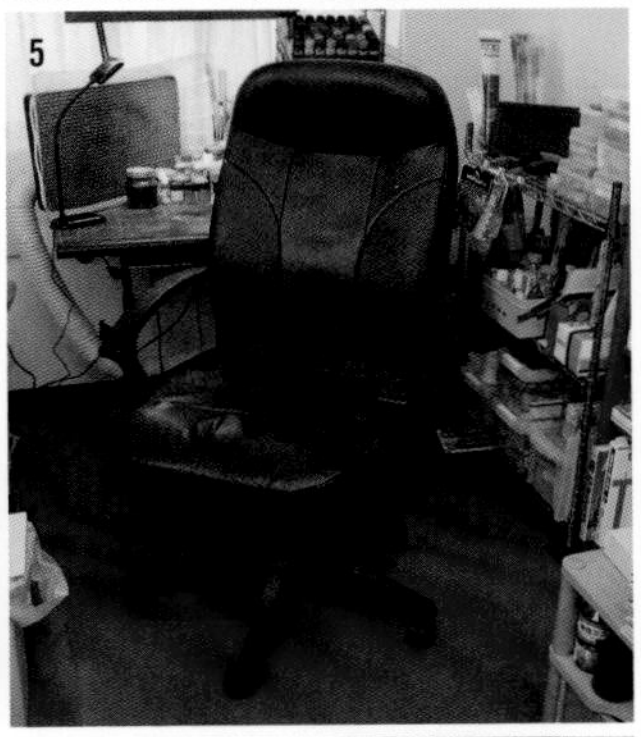

6

7

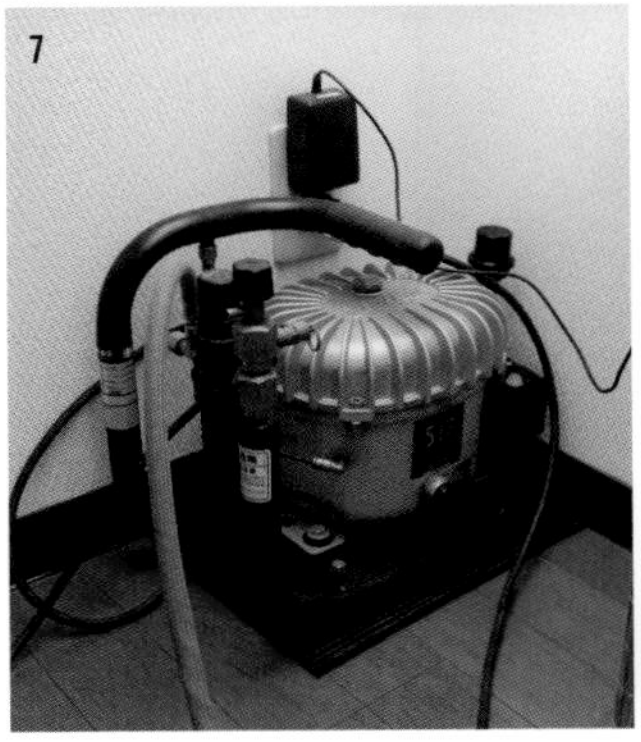

8

9

1 気に入った作品はリビング付属の戸棚に飾っている。ほとんどがAFV作品だ。**2** 塗装ブースはGSIクレオスの旧型のものを使用。とくに不満なないそうだ。**3** TVモニタを常設し、作業中はつけているそう。**4** エアブラシはGSIクレオス、Mr.ホビーPS-269プロコンBOY WAダブルアクションプラチナ0.3㎜を愛用。**5** 椅子はこだわりなく座り心地の良さで事務用を使用。**6** 使用する工具類は基本的に卓上に露天保管。トレーに入れて重ねている。**7** コンプレッサーはウェーブ・コンプレッサー517。オイル式でまったく動作音がしない。**8** 塗装にはハンブロール製エナメル系塗料も愛用。隠ぺい力の高さを気に入っている。**9** 室内灯のほかに卓上蛍光灯を灯して作業しているが、最近小型のLED灯を導入。手元作業の際のサブライトとして非常に重宝している。

種類別にコンテナに入れて、雑多な道具類はお菓子の空き缶にまとめたりフックに掛けるなどしています。もっと大きな机や収納家具、溢れている資料本をしまえる本棚などがほしい気持ちもあるのですが、いまの賃貸マンションでは限られた空間をうまく活用していくしかないかなと思っています。

また作例を製作する上で必要となるのが製作途中の撮影。以前はその都度作業スペースを片付けて撮影していたのですがとても非効率です。そこで導入したのがタミヤのポータブル撮影スタジオ。これを簡易なテーブルの上に乗せ三脚に固定したカメラも常時セッティング。製作中思い立ったらすぐに撮影ができるようになり効率が格段にアップしました。また最近導入したもので想像以上に良かったのがコンパクトで首を自由に曲げることができるLEDライトで塗装時の光源が増えてとても作業しやすくなりました。

さて、この独身だからこそ充実した模型生活はいつまで続くのだろうか？　続いてしまっていいのだろうか？ ■

ココがPOINT!

塗装ブースはタミヤ製

作品の撮影や作業途中写真の撮影には、タミヤ「ポータブル撮影スタジオ」にクリップライトを組み合わせて使用。簡単に光の回った写真が撮影可能で気に入っており常設している

●押し入れ内をリノベーションして作られた作業机。使い安い高さにL時型にセットされた天板、金網ラックを多用した収納方法、電灯の位置など多いに参考となる例だ

ROKUGEN

机や収納、塗装ブース排気口など必要なものは自作で

家族から「自宅の2階の6畳を好きにつかってよい」と許可をとり、自前でDIYを敢行して作業スペースを構築したのはSFモデラーのROKUGENさん。押し入れ内を解体し、自前で作業机をつくってしまいました。

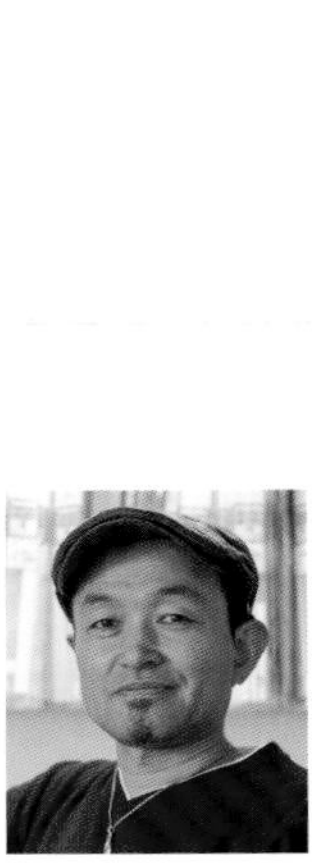

ROKUGEN

愛知県某所のギターとSFを好む雑食モデラー。「スター・ウォーズ」の作例などで電飾を施したビークル系模型を主に製作している。木工加工を本職としており、精度の高い木型製作からのバキュームフォームを得意としている

●左手側面には使用頻度の高い刃物類をディスプレイ収納することで作業効率を上げている。

職人の作る模型部屋 机や道具、治具を自作することで使い勝手のよい環境に

1 2 塗装するためのスペースは部屋内窓際に工作スペースは切り離されて設置されている。換気扇と塗装ブースが窓際にセットされ、横にはメタルラックで塗料や溶剤、薄め液などがまとめられている。

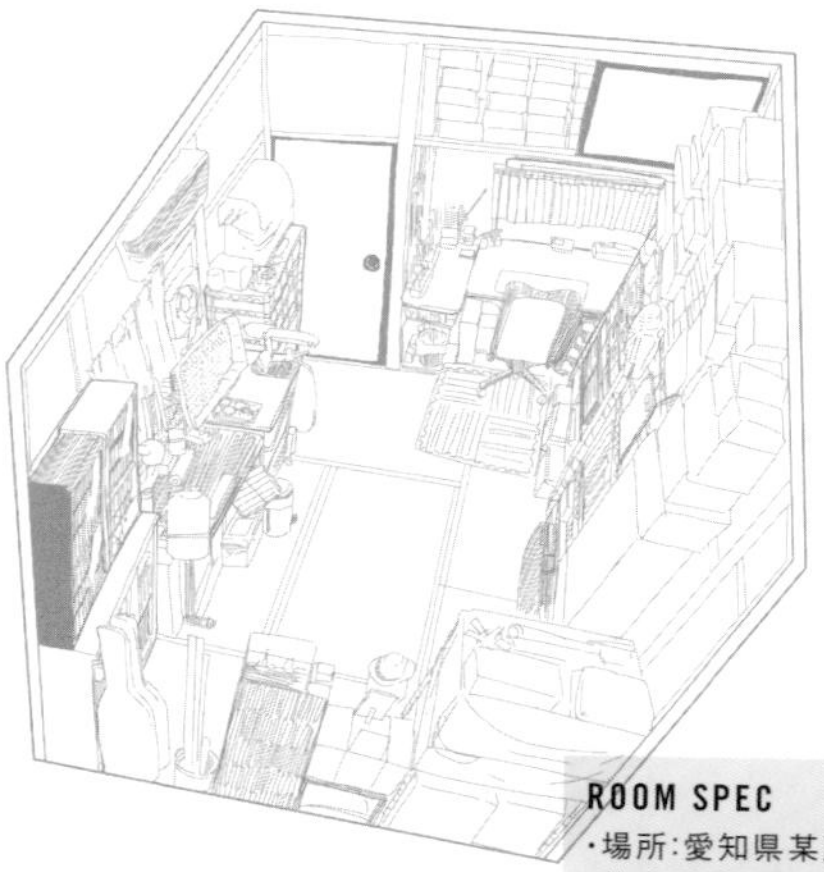

ROOM SPEC
- 場所:愛知県某所
- 住宅形態:戸建
- 築年数:20年
- 物件の間取り:4LDK
- 家族構成:本人、妻、息子

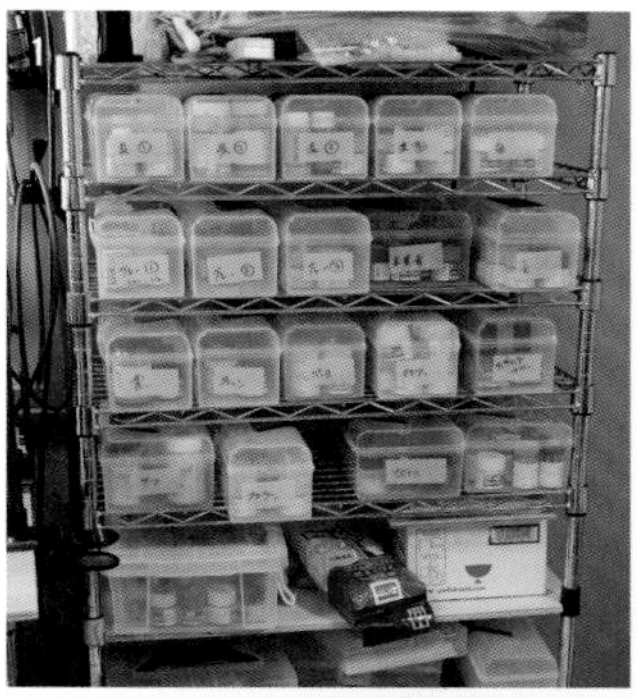

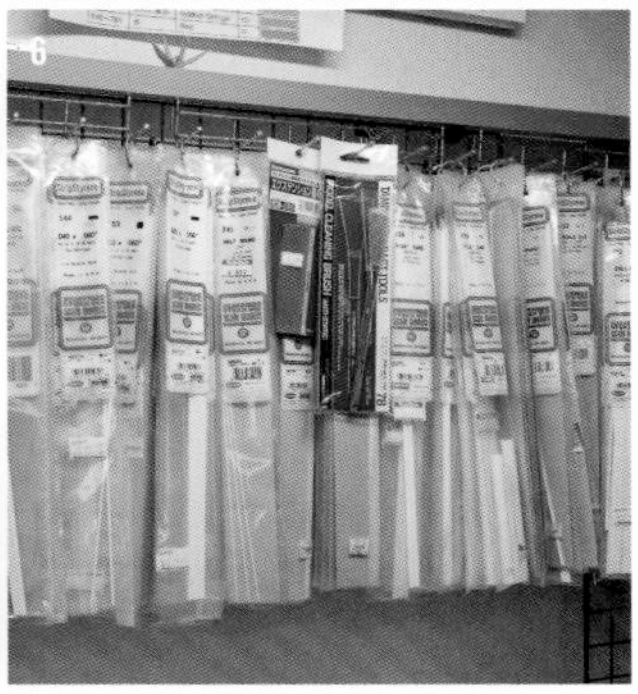

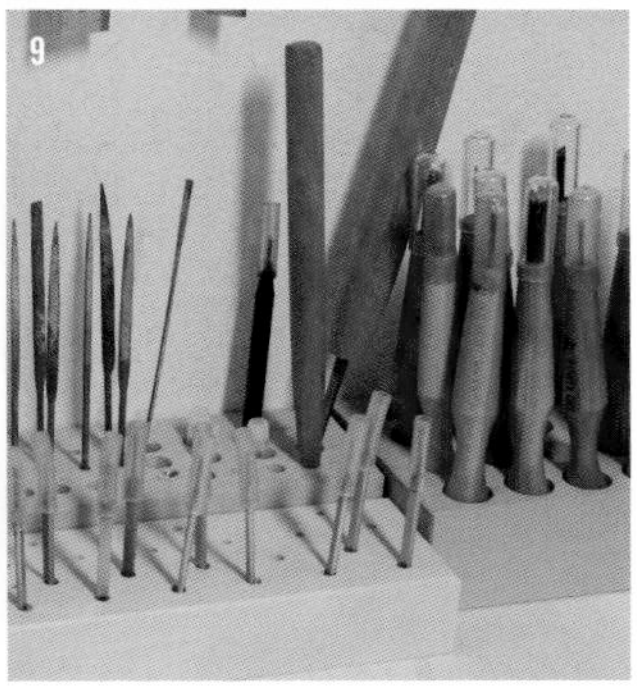

1 塗装コーナーの塗料。メタルラック内にクリアケースに色ごとに分別されている。日ごろからの仕分けが作業効率を上げている。**2** 工作スペースの金網ラック。各種ニッパー類はすべてここで保管している。**3** 元押し入れだった作業スペースの天井には蛍光灯を設置。この位置での点灯で充分な光量を得ることができる。**4** 使用ハンドピースはGSIクレオス　プロコンBOY　ダブルアクション0.2㎜。**5** パソコンラックを改造した机脚の下には塗料などのほか、プラ板を煮てカタチを作る際の鍋などが保管されている。**6** フルスクラッチビルドする際に多用するエバーグリーンなどのプラ棒類はフックに掛けて保管している。**7** 机の奥にはハンダ小手や筆類が保管されている。**8** 工作スペース右には別途メタルラックを準備し、そこには電飾工作に必要な電子パーツ、ケーブル、抵抗などを多数保管している。**9** パワーグリップなどの彫刻刀、BMCタガネなどは自作のスタンドで保管している

電飾工作
木型製作からのバキュームフォームも得意とする、匠の工夫が冴える模型部屋

　自宅のリフォーム後、2階の6畳の部屋を自由にしていい許可を家族から得て、作業部屋として使用しています。この部屋は壁面2ヵ所が押入れになっていて、一ヵ所は家の屋根の傾斜でできたデッドスペースを改良したプラモデルキット収納場所です。以前はここを塗装スペースとしていましたが天井が低く、狭くて、暗く塗装後の色調違いに泣いたこともあって、別の場所に移動しました。もう一ヵ所は普通の押入れですが、広さは1畳あったため、ここを改造して作業スペースにしています。床をフローリングにし、そこに机を置き、天井から2灯式の蛍光灯を頭よりも高い位置に吊るして明るさを確保しています。広いスペースに憧れるのですが、この押入れスペース1畳の秘密基地感が気に入っています。

　机はパソコンデスクのフレーム部分を再利用した自作のもので、天板の幅170㎝×奥行き60㎝×高さ85㎝にしています。高さにはこだわっていて、普通の高さが70㎝位ですから少し高めに。理由は手元と目の距離を近くしたいから と、長時間座るので姿勢が悪くならないようにするため、老眼にも良いと思ったからです。

　道具は引き出しに収めているものは少なく、タガネやヤスリ、彫刻刀など、立てて置けるものはスタンドを自作して机の脇にまとめています。ほかの工具は壁面を利用し見える位置に掛けています。よく使う道具は座ったまま手の届く位置に置くのがベスト。電飾に使っている部品などはこまかく種類も多いので、作業机の横にスチールラックを置いて透明ケースで整理しています。塗料も同じ要領で色ごとに整理しています。整理があまりうまくないので、そこには手間をかけています。

　塗装ブースは窓に面した南向き、窓に換気扇と塗装ブースの排気口を用意した枠を自作してサッシに取り付けています。換気扇と塗装ブースとの併用で作業すれば、下の階へ臭気がいくことなく作業できます。

　作業を始めればスペースがあるだけ物を置いてしまう私、作業の流れから仕方がないのですが、そんなとき役立っているのがL型クランプ！ 厚手のベニヤの板をこれで机に固定して作業台を一次的に増設したり、塗装時の乾燥するためのスタンド取り付けなど、いろいろなものを挟むことができるので応用度が高く役立っています。

　この模型部屋での、いまいちばんの課題は完成品の管理と、増え続けていく未組み立てのプラモデルです。■

ココがPOINT！

L字クランプで固定します

5㎝間隔で3㎜径の穴が空いている棒をL字クランプで机に固定すると、塗装時にパーツの保持が可能になるのだ

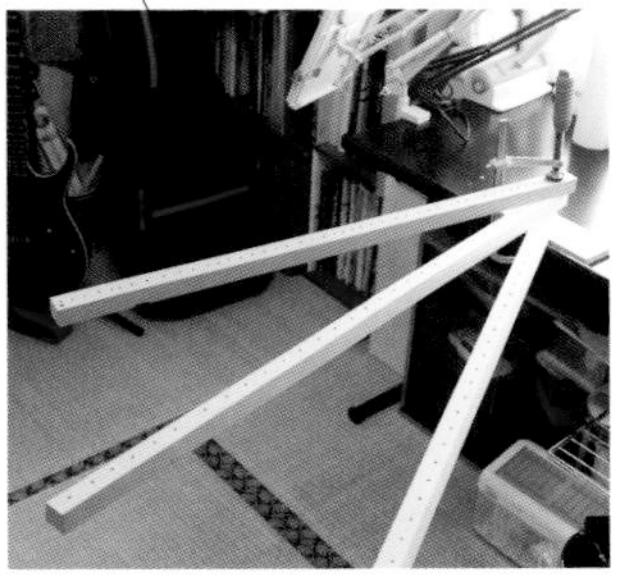

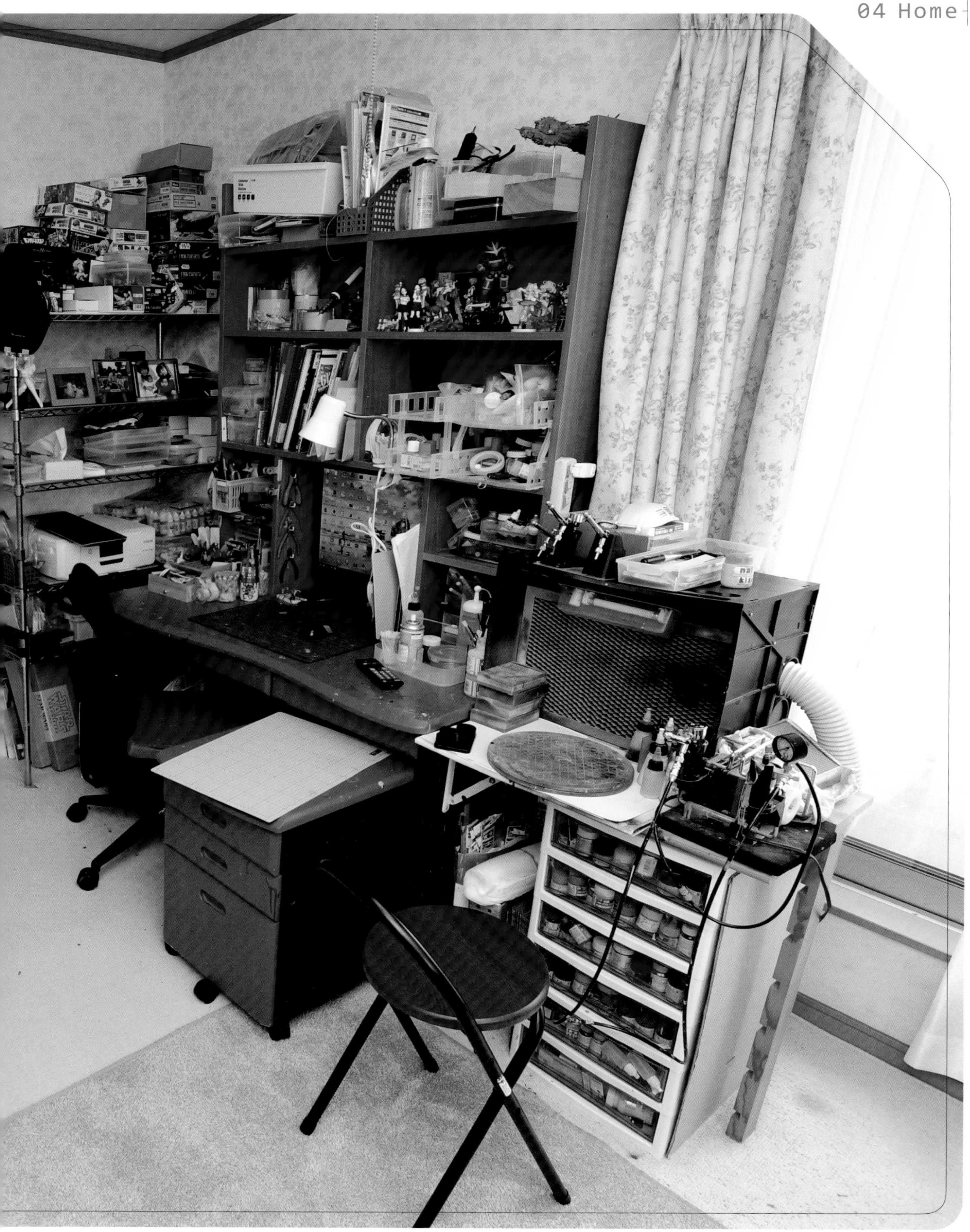

●二階の8畳間の半分ほどのスペースにしつらえた模型製作スペース。作業机のほか、塗装ブースも常設するなど、「間借り」している割りには腰の据わった施設になっている

Chogi

妻との共有部屋に、模型製作コーナーを設置

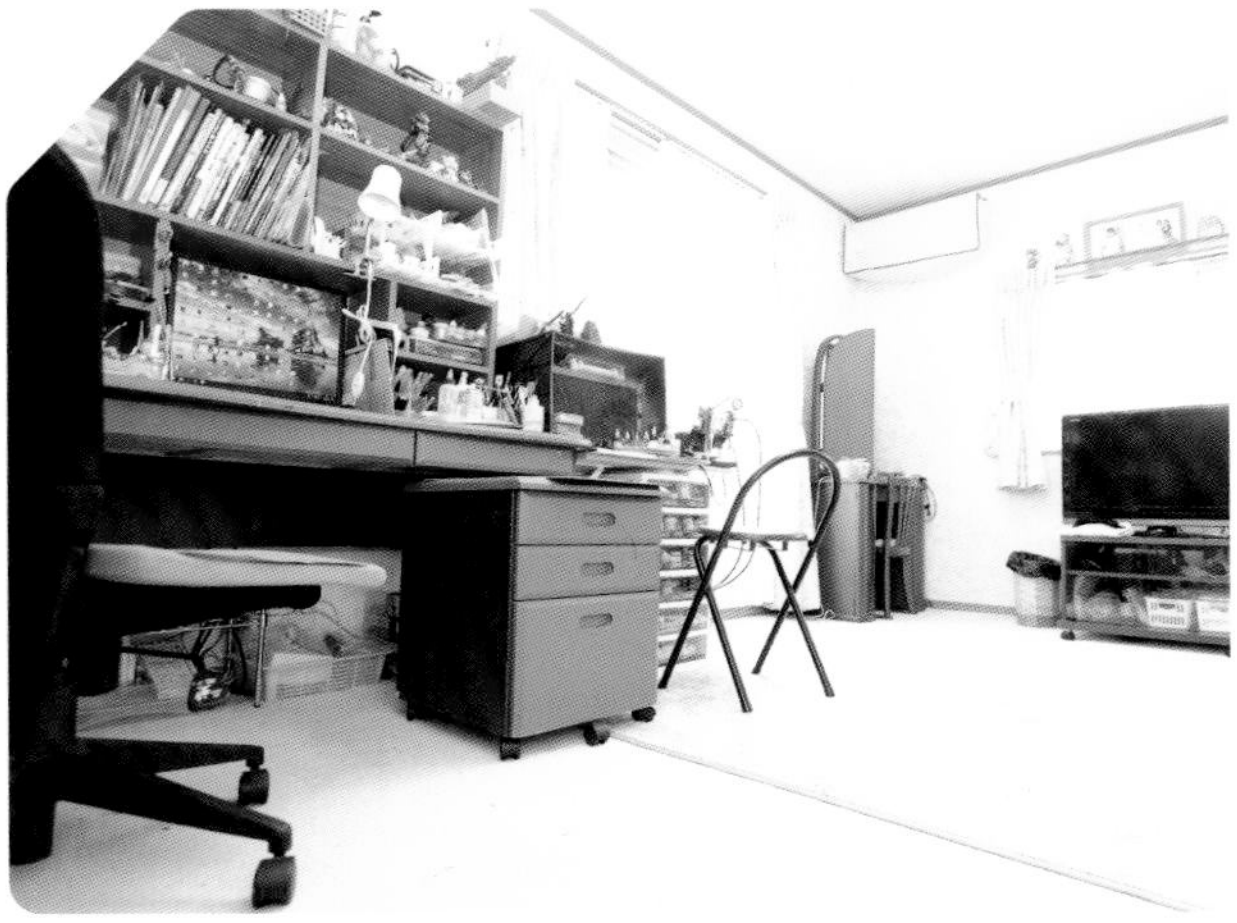

家庭持ちの趣味人の場合、「趣味部屋」までいかずとも、「趣味スペース」で妥協している人もおおいことだろう。模型誌作例を担当するちょうぎさんも独立した模型部屋をもたず、家族との共有スペースのみで製作を楽しんでいる。そのコツを伺った

ちょうぎ

奈良県在住、スケール模型（航空機）、アニメ、SF、美少女ガレージキットと雑食モデラー。模型以外の趣味はSF小説を読むこと、ニチアサのプリキュア実況に参加すること。

1 市販のPC机を改造、卓上に棚を作るとしている。中央にPCのモニターが配置できる棚のレイアウトに注目。**2** 机の左奥にはメタルラックも使用し、資料や材料などを収納している。**3** 現在は買い替えたが、当時はエアテックスのブラックホールツインファンを塗装ブースに使用していた。**4** 模型作成に必要な材料やマテリアルなどを収める棚は普段から雑然としがち。

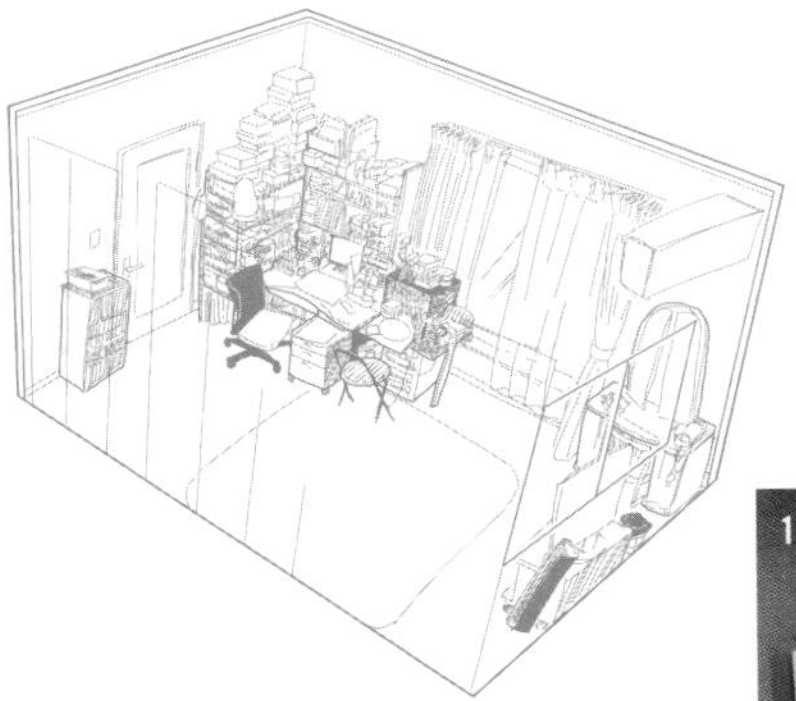

ROOM SPEC

- ・場所:奈良県
- ・住宅形態:戸建て、持ち家
- ・築年数:11年
- ・家全体の間取り:2階建て、4LDK
- ・作業部屋の間取:
  2階の8畳間の一隅
- ・家族構成:妻と娘がふたり

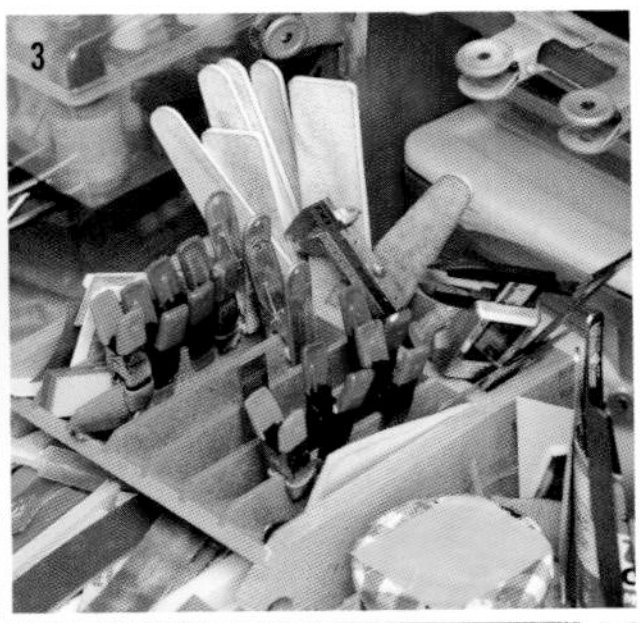

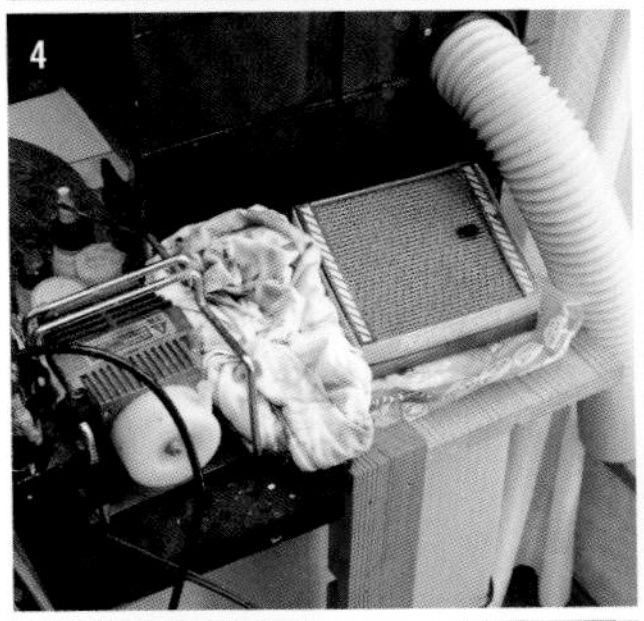

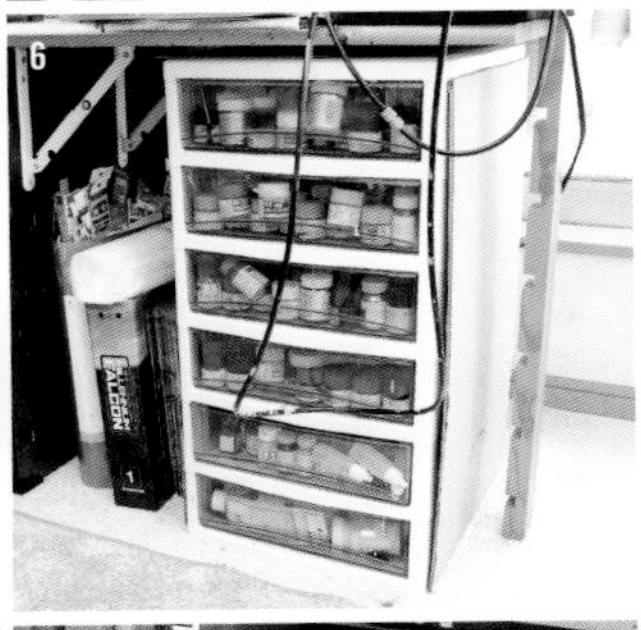

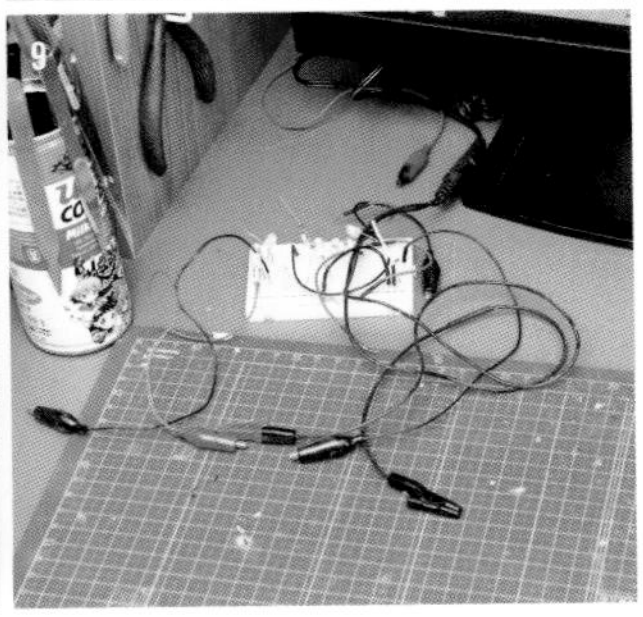

1 保管に頭を悩ますプラ棒などは、フォルダーファイルに入れて立てて保管している。**2** 斜め収納のペン立てにデザインナイフ類を収納。筆は垂直型のペン立てに納めている。そのほかトレーを多用し塗装用小物を管理している。**3** スティックヤスリや塗装用の持ち手クリップ、ピンセットなども机の左手にまとめて出したまま収納している。**4** 塗装ブース横に置くコンプレッサーはGSIクレオスのL5を使用。**5** ウェザリング用塗料はまとめて管理。水筆に薄め液を含ませタッチを付けている。塗料は使いやすいように大口のブランク瓶に移し替えている。**6** 塗装ブース下には書類ケースで塗料を管理している。**7** 作業机の空いた壁面スペースを利用してニッパーなどを管理している。**8** GSIクレオス PS289 プロコンBOY WAプラチナ0.3㎜などを使用。**9** 電飾工作もこのテーブルでおこなう

家族を優先した模型ライフ
省スペースなりに積極的に製作中

さて、本業はサラリーマンをしていて、休日や平日のわずかな時間に模型製作を楽しんでおります。

3DKの社宅を出て奈良に家を建てたのが11年前。作業スペースはその2階にある寝室の一角です(でも寝起きには使ってません)。120㎝×65㎝のPC用デスク上に化粧合板を組み合わせて4段の棚を自作し、各種工具や消耗品、お気に入りの模型関係書籍などを収納しています。棚の正面は17インチのPCモニターがキレイに納まるスペースを設けてあり、模型製作用の資料やBGVの表示に役立っていますが、16：10などのワイドモニターが主流となった昨今、3年ほど前にを買い換えたときにはこのスペースに収まる商品の選択肢は現在使っているもの以外なく、かつ割高だったので、次にモニターを買い換えるとなったら、この棚の作りを考えなくてはいけないですね。

このように卓上に棚やPCモニターを置いているので、工作スペースはデスク上に置いたA3サイズのカッティングマット程度になりますが、これ以上広くても散らかすスペースが大きくなるだけでしょう。大型キット製作時などスペースが足りない場合は、この机に付属していたキャビネットや折りたたみ机を引っ張り出してランナーの置き場にするなどスペース不足を補っています。よく使う工具は机の周りに立てて配置しています。

塗装環境は、当初は塗装する都度、同じ二階にある納戸から塗装ブースと、娘たちが小さいころ使っていたちゃぶ台を運んで窓際で塗装していたのですが、そのうちメインの机の横に折りたたみ式の袖机を自作して「塗装が終わったらまた片付けるから」と言い訳しつつ徐々にいまの常設状態にしてしまいました。塗装ブースの排気はベランダに面した窓からホースを出していますが、ベランダが無駄に広いので、とくに苦情はありません。エアコンを設置していませんでしたが、年々厳しくなる夏の暑さに耐えかねて一昨年に導入。汗をキットの上に垂らすこともなくなり快適になりましたが、冷えた部屋の空気を塗装ブースで換気するのってごく罪悪感がありませんか？ 小さいながらもそれなりに使える模型製作スペースだとは思いますが、いま大学生の上の娘が家を出たら、彼女の部屋を占拠して理想の模型部屋を作ろうと密かにプランを練っています。■

ココがPOINT!

在庫キットは納戸で管理

模型製作のほか、ワンダーフェスティバルなどでアマチュアディーラーのガレージキットを購入、コレクションすることを趣味としている。戦利品は納戸のほか、一階洗面台の床下倉庫にも保管している

●居間には手持ちの工具箱だけをもっておりてきて、パーツの整形や接着などを作業。塗装のターンになると道具類のびっしりと詰められた屋根裏部屋での作業と移行する。

Hiroshi NISHIZAWA

居間で工作、屋根裏で塗装
家のなかを行ったり来たりの
模型製作

以前は模型製作部屋を構築していても、家族の成長や変化に伴い部屋を明け渡す必要が起きるのも、また家庭を持つモデラーの運命ともいえるだろう。実際に部屋を明け渡したカーモデラー、西澤浩さんは、模型部屋を家族に明渡したのち、屋根裏部屋に塗装スペースを作ることで模型製作空間を産み出した

西澤 浩

'66年生まれ。子供のころ祖母に買ってもらったティーガーⅡが模型初体験。以後、戦車を作っては遊び、壊しを繰り返し、中高生のころから20代半ばまでは実車のクルマ／バイクもいじる。現在はオートモデルを中心に製作している

▲屋根裏部屋塗装ブース全景。人間が立つスペースはないのでつねに中腰で作業。塗装時には窓から塗装ブースの排気パイプを外に出す

模型部屋を子供に明け渡し、リビングと屋根裏部屋を活用

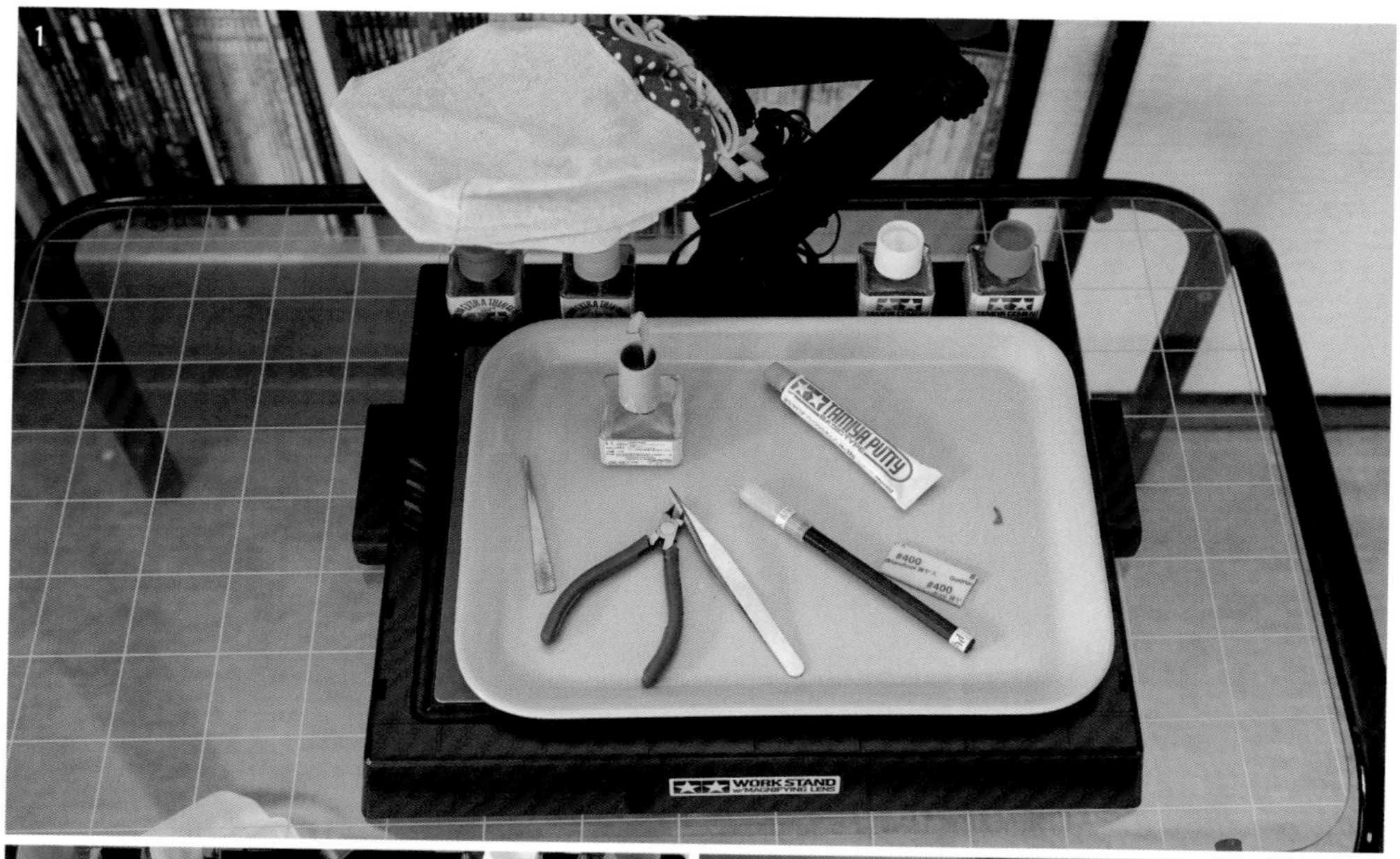

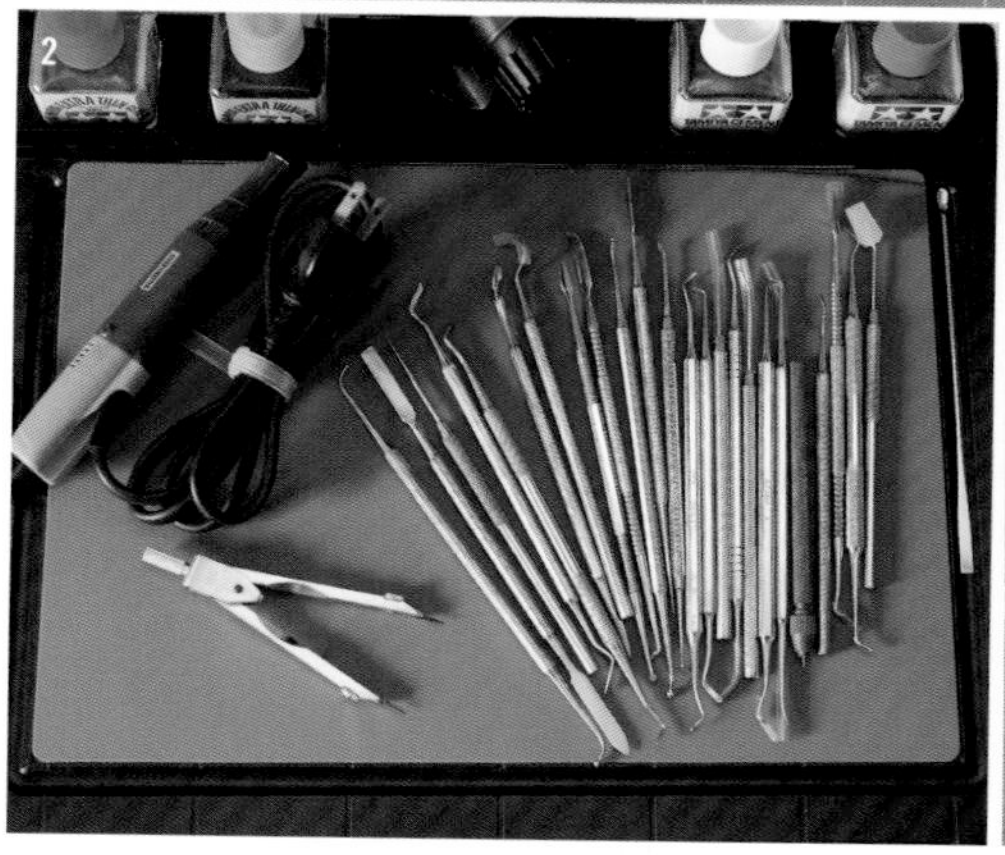

1 居間での作業環境。タミヤ ワークスタンドの上で作業できるよう、必要な工具を厳選している。**2** スパチュラ、リューター類も準備しているが、居間ではいまいち登場の機会が少ない。**3** 塗装スペースでは、GSIクレオス リニアコンプレッサーL5を使用

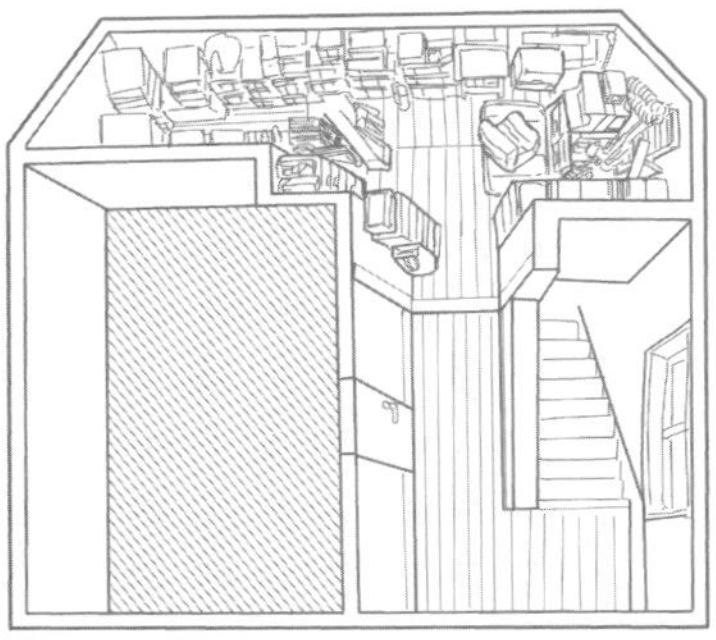

ROOM SPEC
- ・場所:埼玉県川口市
- ・住居形態:一軒家
- ・築年数:18年
- ・間取り:屋根裏部屋2畳
- ・家族構成:本人、妻、娘、息子

1 これまでの完成品はこういったカタチで保管している。**2** 調色はエアブラシのすぐ近くで行なう。机の天板はガラス製なのでこぼしても安心。廃液は左手側にあるうすめ液の空き瓶にまとめ、容量がいっぱいになったら交換。**3** 頻度は高くないが筆塗り用に多くの筆もストックしている。**4** 塗装ブースの反対側に引き出しケースを設置し、ストック用の塗料を保管。**5** 乾燥ブースはGSIクレオスのMr,ドライブースを使用。**6** 小さな引き出しをエアブラシや塗装ブースの置いてある机の下に設置。よく使う塗料を厳選したり、一時的に収納するのが主な目的。**7** 撮影ブースは常設せずフォトラを導入しそのつど広げることに。**8** 塗装ブースにはタミヤ スプレーワーク ペインティングブースⅡ ツインファンを使用

開放的なリビングと秘密基地的な屋根裏部屋

以前は自分の部屋があり、模型部屋として活用していたのですが、子供の成長で残酷にも部屋を明け渡さざるを得ない事態になり、現在は作業場不定のモデラーです。 自室があったころは移動の必要がなかったので工具箱は用意していなかったのですが、前記のように現在は流浪の民です。塗装前の改造・改修・ディテールアップなどの工作やヤスリがけなどの下地処理は持ち運び用の工具箱に必要最小限の工具をまとめて、タミヤのワ?クスタンドといっしょにリビングや寝室を転々としながらの作業が多くなっています。

さて、作例を製作する以上は塗装する場所は確保しなければなりません。そこで屋根裏の物置きの一画、窓際に塗装ブースを設置して塗装できるようしています。屋根裏部屋はスペースは限られていて、ランナー状態のキットを広げることすらできない穴ぐらみたいなカンジです。ひとり分のスペースの秘密基地みたいなカンジでしょうか。塗料やパテ類はこの秘密基地内に引き出しを設置して収納しています。塗料は新色やらストックやらで増える一方なのですが、これ以上は引き出しも増やせないのでどうしたものか……。

塗装が終了したらデカール貼りが待っています。明るいところのほうが糊残りやデカールの密着具合が見えやすく都合がいいので、リビングや和室で作業しています。食事の時間にぶつかるとバタバタと強制撤去させられます。続くクリアーコートは屋根裏部屋で作業し、仕上げの磨き作業はまたリビングなどで作業。最終組み立てはまた屋根裏部屋で行ないます。行ったり来たりを繰り返してしまいますが、組み立ての際のアクシデントに対応しやすいので、塗料とエアブラシが揃って置いてある屋根裏部屋が組立作業として都合がいいのです。組み立てに必要な工具や接着剤ももう1セット置いてあるので、じつはここだけでも作業はできるのですが、広めの作業スペースのほうが落ち着くんですよね(笑)。

屋根裏部屋は狭く、リビングも普段は家族と共用しているので撮影スペースも常設とはいきません。必要なときだけフォトラを出してきて、座卓やテーブルなどに設置し、一眼レフカメラを三脚に接続して撮影しています。最近はスマホ用の固定アダプターを三脚に付けて撮影するほうが多いもしれません。最近インスタグラムをはじめたので、余計スマホ撮りが増えてるんですよね。とりあえず工作場所は不定ですが、楽しんで模型を作ることができればいいかなと思う今日このごろです。■

ココがPOINT!

カーモデルではデカールが命

デカールを貼る際に軟化させるため電気コンロでお湯を沸かしてつかう

●取材時には片づけてしまい、床が見える状態になっているが「普段は足の踏み場がないほど物があふれ返っている」状態が続いているという

Go NISHIMURA

家庭の一室を模型＆趣味部屋に割り振り模型全般の品々はここで完結に

フルスクラッチビルドを得意とする西村さんは、賃貸マンションながら、家族から6畳一間を与えられ、そこで趣味の模型を完結するようにいわれているという。しかしモデラーの性なのか、模型関連の荷物は増えていき、ふだんは部屋から溢れんばかりとなっているという。さらに3Dプリンターも導入されさらに渾沌を極めているという……

西村 剛

食べることが大好きな紅茶党、ウィスキー党、蕎麦派（うどんも好き）。料理が趣味で調理師免許も所持。知的財産権に携わる本職の仕事柄、知的財産権に詳しい。これまでの作例はすべてフルスクラッチビルド、変化球ネタが大好き!

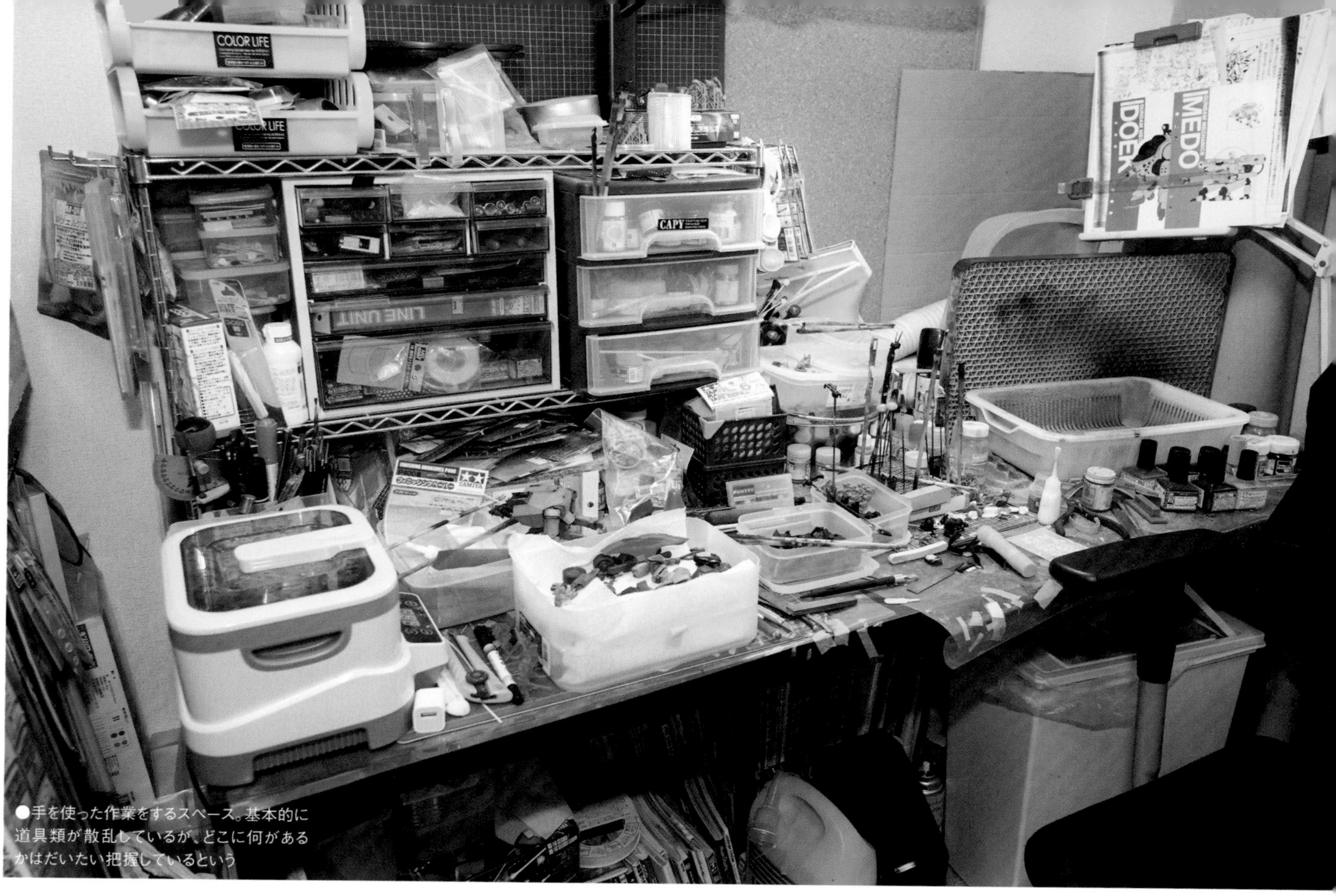

●手を使った作業をするスペース。基本的に道具類が散乱しているが、どこに何があるかはだいたい把握しているという

1

2

3
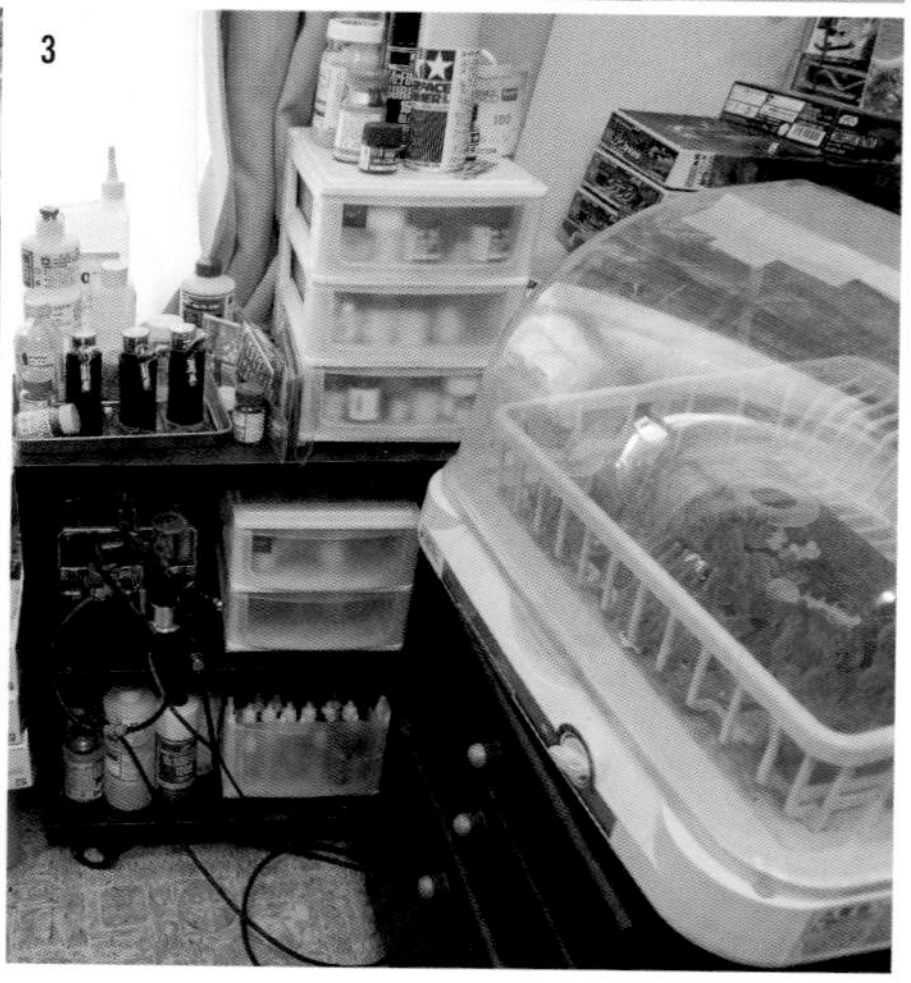

1 一方床に座るとパソコン本体とモニター、キーボードが置いてありデジタルモデリングの環境が整っている。卓上と床の二段構えのセッティングとなっている。**2** 押し入れには趣味のプラモデル類がびっちりと収納されている。**3** コンプレッサーはGSIクレオスのL5。窓際にセッティングしている。

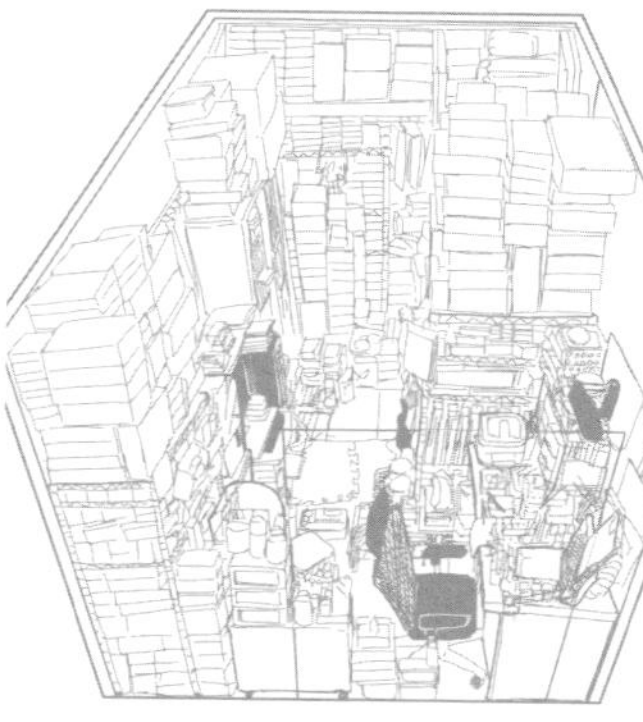

ROOM SPEC
・場所:愛知県某所
・住宅形態:戸建
・築年数:20年
・物件の間取り:4LDK
・家族構成:本人、妻、息子

1 使用している3Dプリンターはform 2。以前はRoland製のMODERAも愛用していた。**2** 塗料はプラ製引き出しに入れて管理している。**3** 卓上のメタルラック全景。メタルラックの上から手元を照す灯はセットしている。**4** 市販のプラスチック製アフターパーツ類は金網ラックにかけて保管し、スクラッチビルド時に使用する。**5** 塗装ブースはGSIクレオスの旧型を使用。主にサーフェイサーを吹くのに活用している。**6** 椅子はバルバーニ製アームチェア DD-C777を使用。アームレストの高さが調整できる。**7** 乾燥機下の引き出しには紙ヤスリなどを保管している。**8** 3Dモデリングにはソフト「SolidWorks」を使用しているとこのこと。**9** 食器乾燥機を流用したパーツ乾燥機は出力品の硬化にも活用している。

フルスクラッチビルドを得意とする PCモデリング中心の環境

あるとき編集部から連絡をいただき、作業部屋を紹介してくれないかとの打診が。「モデラーの絶望が詰まった部屋でよければ」と答えると、むしろそういうのがいいとのことでした。いちおう、妻に了承を得ようと話すと、「ひどい部屋だからみんなに見てもらって反省したほうがいい」と言われすんなりOK。取材の前日までまったく片付けていなかったのですが、さすがに床が見えないのはマズイかなと思って片付けはじめたら次々と気になりはじめ、ひと晩かけて大掃除することになってしまいました。取材当日、寝不足状態で取材班を自室に迎えると、「あれ、床が見えてますけど……片付けちゃいました?」とひとこと……すみません、やりすぎました。取材から数日経ったいまでは、もう床は見えなくなっています。というわけで、普段は見えていない床が見えています。

昔からフルスクラッチビルド作品を作っていて、基本的に作業時間の9割方が3Dモデリングと手作業の工作です。3D CADを覚えるまでは、プラ板・エポキシパテでの工作がメインで、市販のサポートパーツなども多用していました。いまでも在庫がなくならないよう多めにストックしています。

3D CADを勉強してからは、自室にCAD専用のPCを購入してモデリングデータを作っています。現在データ制作は床に座って作業していますが、ゆくゆくは工作机のすぐ横で作業できるよう、PCデスクを新調しようと思っています。

データの出力機で最初に購入したのが、ローランド・ディー・ジー株式会社のMODELAです。エンドミルでワックスを切削して造形する機械です。本誌の作例では「1/100ドラケンE(2017年9月号掲載)」のときに使用しました。4年ほどMODELAで作品を作ってきましたが、2年前、知人に勧められてform2を導入。自室に3Dプリンタがあるなんて、ちょっと前までは考えられなかった夢のようなできごとが現実となり、楽しくて届いた初日から現在に至るまでガンガン出力をしています。

普段はフルスクラッチビルドばかりですが、プラモデルも大好きなので新製品が出るたびに買っています。ただ、プラモデルは週末に居間で妻とテレビを見ながら作ることが多く、この部屋ではあまり作りません(笑)。我が家も増え続けるプラモデルの問題に直面しておりますが、家族からは部屋の外にものが出ないようにと強く言われています。なので、プラモデルは仮組みして箱を捨て、ライバル機同士、水中用などジャンルごとにまとめています。■

ココがPOINT!

超音波洗浄器は多用します

超音波洗浄機は塗装前の洗浄にも、form2での出力品の洗浄にも大活躍

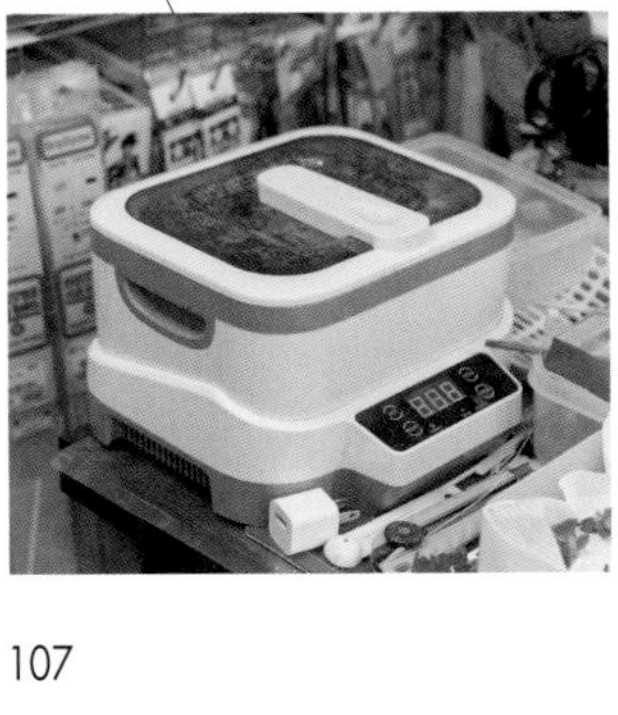

●見晴らしのいい大きな窓のある部屋にはテーブルがコの字に配置。パソコンスペース、工作スペース、そして塗装スペースに撮影スペースと、各部が機能的につかえるような配慮が多数なされている

Early chop!

二世帯住宅の1室を模型専門に確保
家庭とプロモデラーの両立

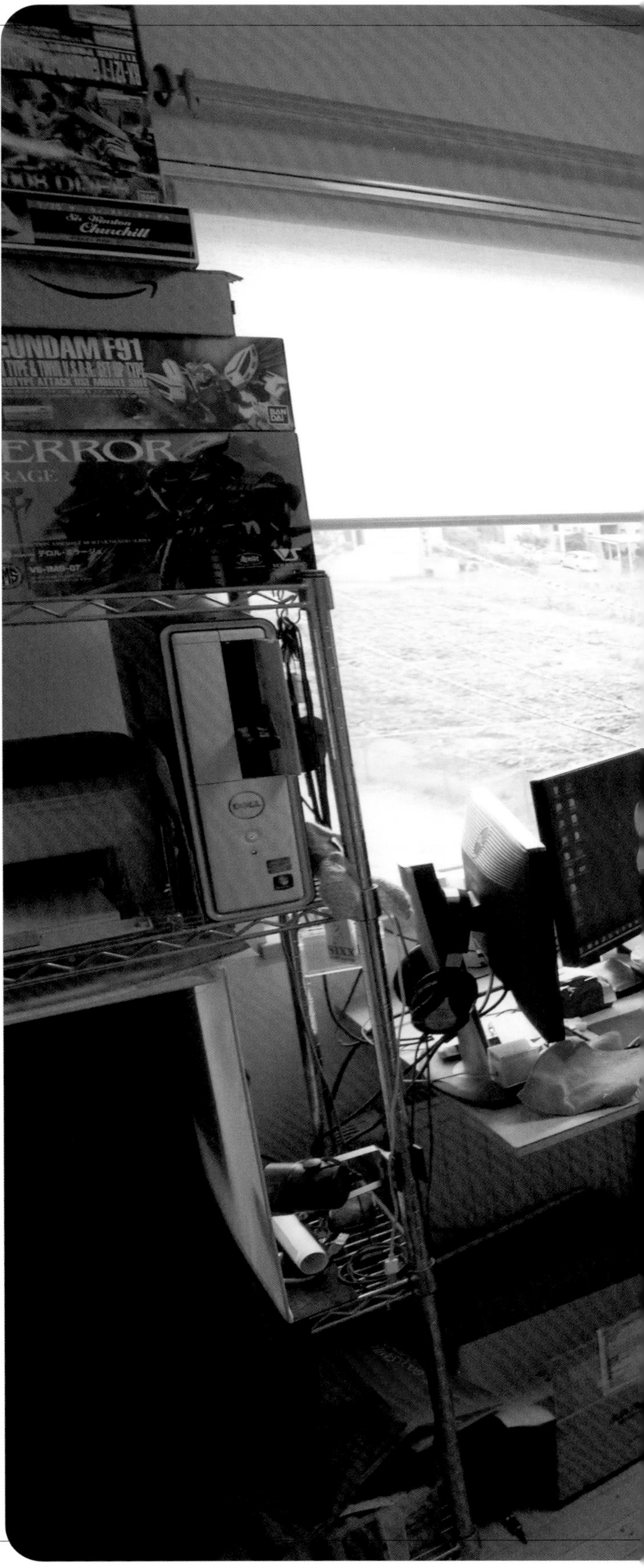

北海道で活躍するプロモデラー、アーリー・チョップ!さんは、二世帯住宅建築時に、3階の大きな部屋を模型製作用として確保、家族の理解もあって専用ルームとして使用していた。しかし子どもの成長とともに今後はこれまでのスタイル変える必要があるという

アーリー・チョップ！

『月刊モデルグラフィックス』をはじめ多数の模型雑誌でガンプラ作例を担当する北海道在住のモデラー。清潔感ある作風だけでなく、プラ板工作も得意とする。プライベートではガンプラだけでなく、オート、飛行機など多ジャンルの製作も楽しむ。

●幅2m、奥行き70㎝の大きな板を準備し、会議テーブルに固定しただけの作業机は使い勝手抜群。余裕ある作業環境を生み出している。

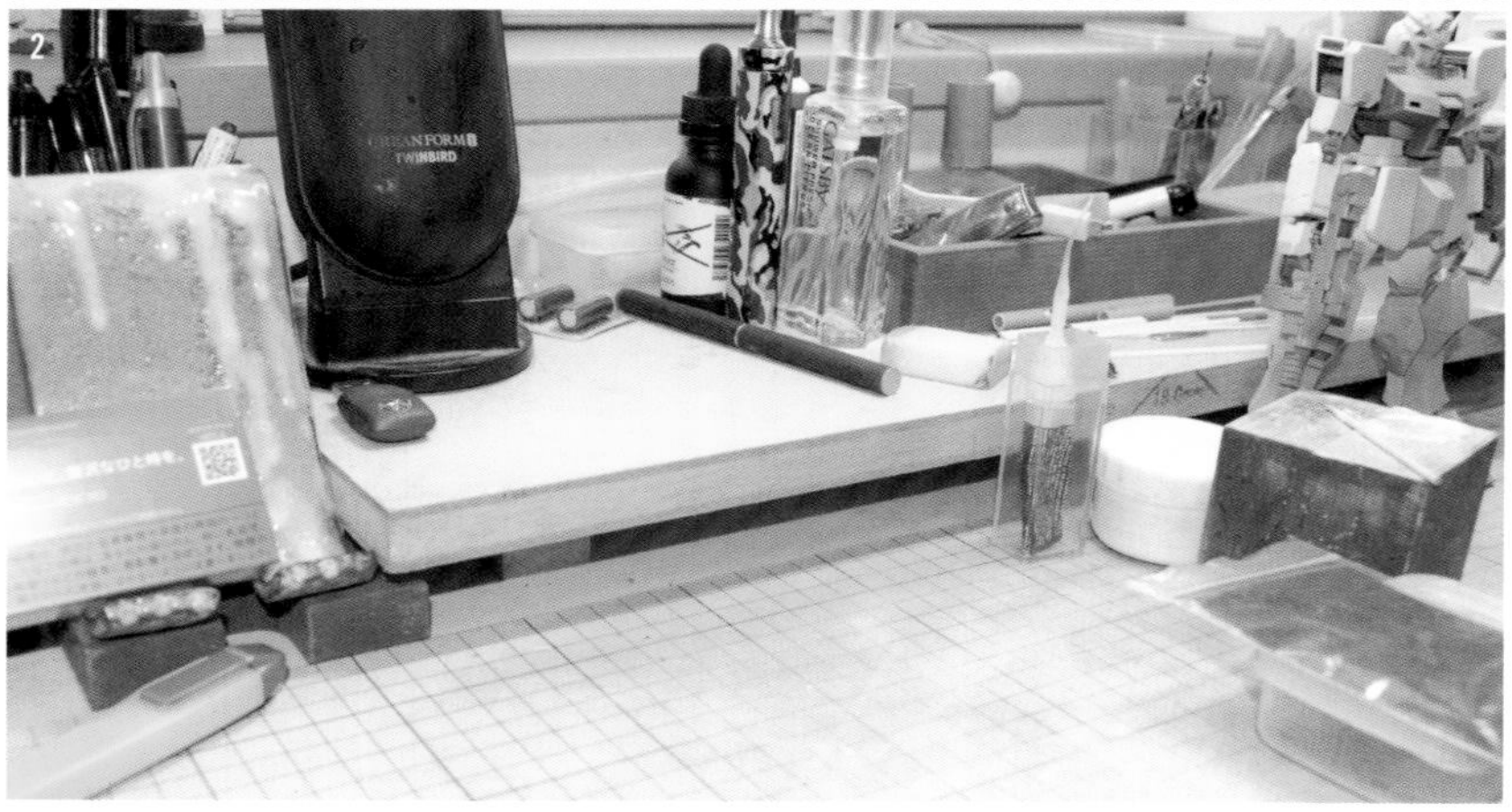

1 作業机の右奥には塗装ブースを設置。作業スペースとそれぞれに電灯を設けている。**2** 作業机には3㎝ほどの木材ブロックを足とした小上がりスペースを製作。ちょっとした物置に活躍している。

ついについにやってきました「模型部屋を作ろう！」のオファーが！　この連載って「名だたるモデラーさんの作業環境を通じてどこに注力し製作しているのか？」がわかる貴重な情報源なわけでして、作例製作モデラーとして自分もいつかは……と密かに思い続けていた訳です。

さて、模型誌で作例製作モデラーデビューしたころは自営していた店舗の事務所のなかに模型製作の環境を持ち込んで作業をしていたのですが、閉店をきっかけに自宅のなかの一室を作業部屋として改装することにし、2年ほどかけていまの環境を整えました。改装するにあたって念頭に置いたのは「同時進行」。

それまでは事務所のなかで模型製作していたので、スペースも手狭でした。すると作業開始から完成までの流れのなかで、工作～塗装～撮影とその都度場所の確保や養生が必要になります。撮影するにしても先に清掃が必要だったりと作業のたびにリセット作業が必須。先に工作が終わったパーツを塗装し乾燥させているあいだに次の工作を……といった効率のいい、作業工程の流れを作るのは非常に難しい環境でした。

なので新しく作業スペースを作るうえで、作業を同時進行できる環境作りは時間効率的に非常に重要なポイントだったのです。

確保した部屋は、私専用の6畳洋間ですので空間としては充分です。そこでまず広い作業空間を確保するために、広い作業机を作りました。家を建てるときにあまった建材の板で幅が2m、奥行きが70㎝と大きめのものを天板として、いわゆる会議テーブル

ROOM SPEC

- 場所:北海道札幌市
- 住居形態:一戸建て二世帯住宅
- 築年数:15年
- 建物全体の間取り:7LDK（居住部分（3F）は3LDK）
- 模型部屋の間取り:6畳間
- 家族構成:本人、妻、娘、息子（祖母・両親）

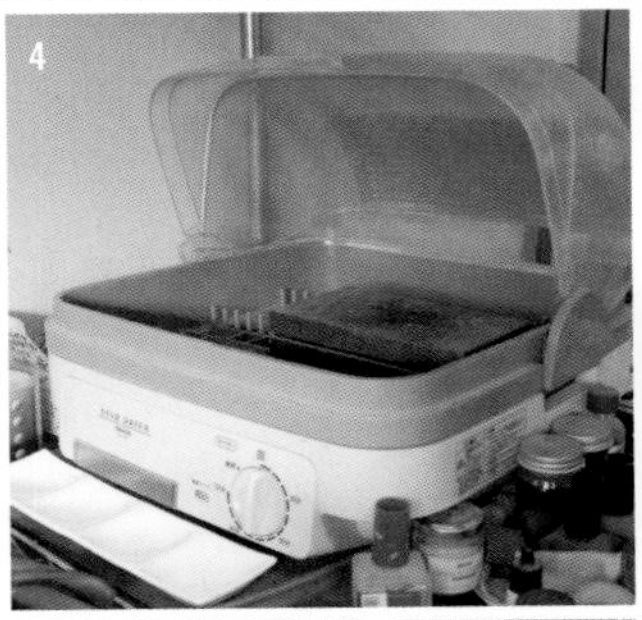

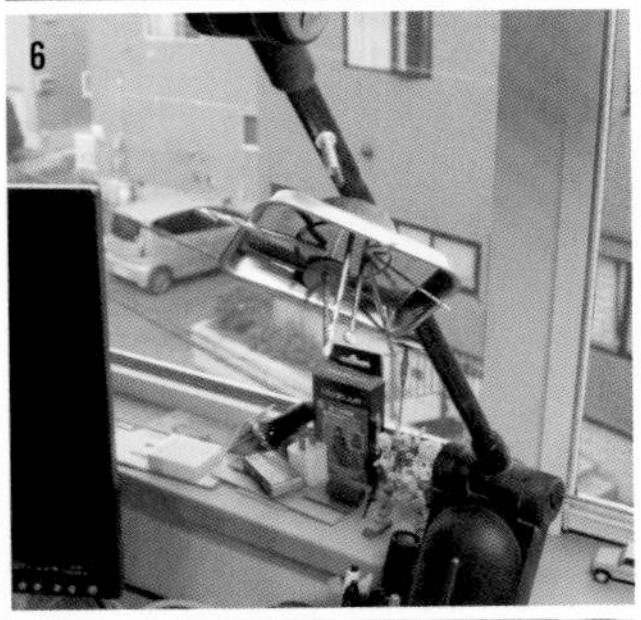

1 卓上には主に使う工作道具がケースに入れられ管理されている。**2** 塗装ブースはシロッコファンと衣裳ケースを使った自作のもの。**3** 塗装ブースは自宅備え付けの排気口にパイプを繋いでいる。**4** 乾燥ブースには食器乾燥機を流用。**5** 椅子は少々年期の入ったレザーチェアを愛用。**6** 自動車整備などで見られる磁石付きのトレーで金属刃などを保管している。**7** コンプレッサーはGSIクレオスMr.リニアコンプレッサーL5。**8** 裏のメタルラック部分で塗料を管理。**9** プラ棒などはメタルラックにかけて管理している。

会議テーブルと天板で大サイズの作業台を製作

に打ち付けて作りました。これに追加でサイドテーブルを配置し広めの作業スペースを仕立てました。このテーブルのおかげで工作エリア、塗装・乾燥エリアを分離できました。また机とは別にPC本体やプリンターを設置したメタルラック内に撮影ブースを設置したことで目標としていた各作業の同時進行を可能にしました。

モデラー仲間の協力で製作した自作の塗装ブースが高性能なおかげでミストの飛散もなく、クリーンな環境で作業を行なえるのですが、念のため塗装スペースと撮影ブースは離れた場所に設置しています。作業机の背中には資材やジャンクパーツ、キット在庫を収める背の低いメタルラックを設置して作業中は、極力移動が少なくなるようレイアウトしています。

今年度より長男が小学校へ入学したこともあり近い将来この模型部屋も明け渡すので、ゆくゆくは自宅外へこの環境を移すことになりそうです。賃貸物件での部屋作りとなると近隣の方々への配慮も考えなくてはならないので充分な準備期間が必要かもしれません。自宅内の作業環境を受け入れてくれている家族にはもっと感謝しなくてはならないですね。■

ココがPOINT!

いつでも撮影可能な撮影ブース

撮影ブースは入り口近くに常備し、工作途中の写真などが気軽に撮影できるような配慮をしている。

●リビングの一角を占拠して作られた模型部屋だが、部屋が家族との共有スペースとしても機能するようギュッとまとまった構成になっている

GattoNero

塗装ブースの精鋭
「ネロブース」開発／販売者の自宅公開!!

独自のスタイルにより、これまでにない換気能力を持つと話題の塗装ブース「ネロブース」。この開発者であり、現在は「ガットワークス」として販売もてがけるがっとねろさんの自宅は、なんと居間に模型製作スペースがあります。これも臭気をまったく感じさせない「ネロブース」の威力のおかげだといいます。

がっとねろ

'88年生まれ。東京都在住。本業である設備工事業の知識を使用し、作業机を改造するのが趣味。3D CADで原型データの製作も行うマルチな才能を持つ。現在は自身のブランド「Gatto Works」から自身公案の塗装ブース「ネロブース」を販売している。

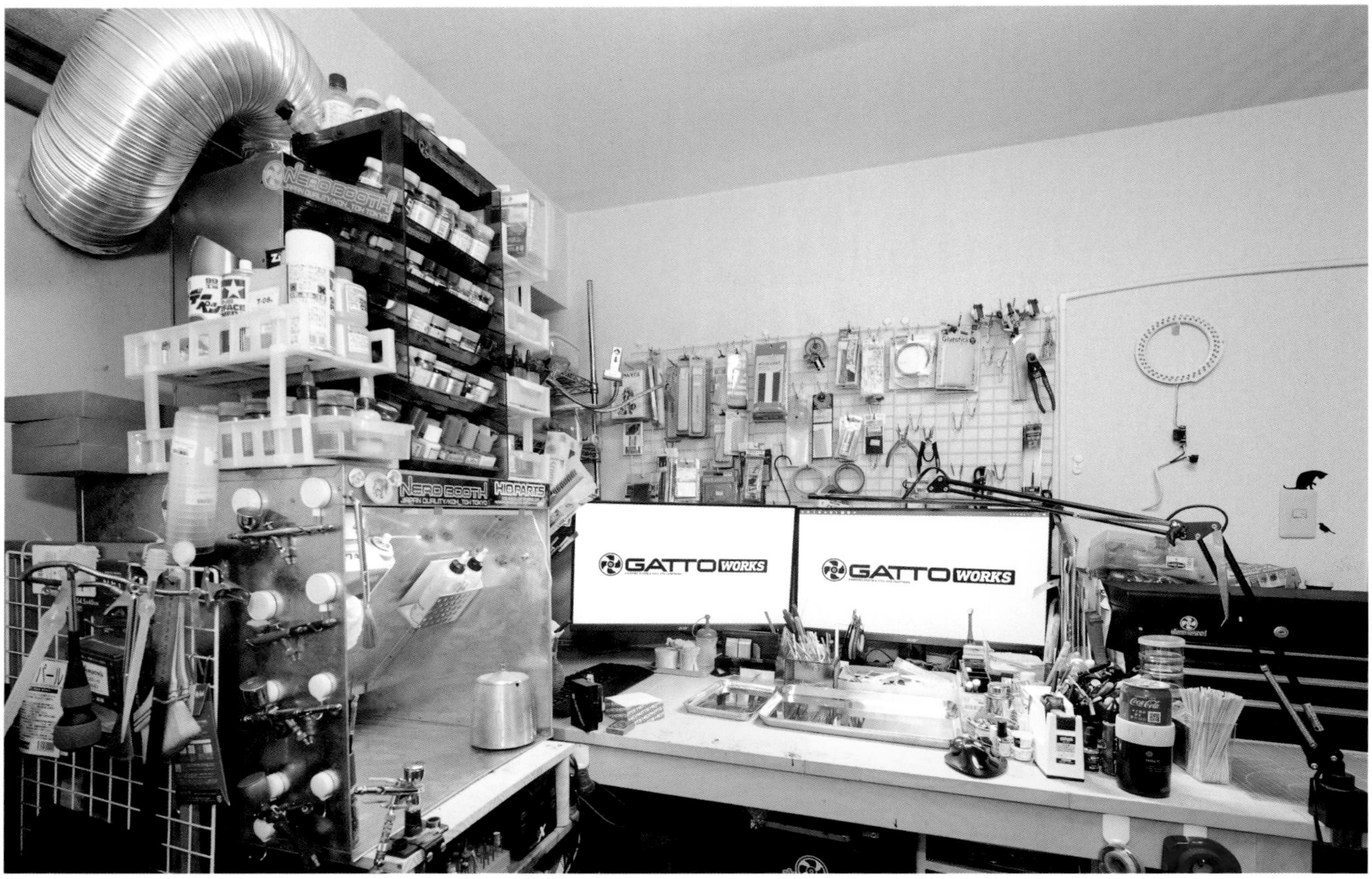

家族の理解を得て リビングに 作業ブースを構築

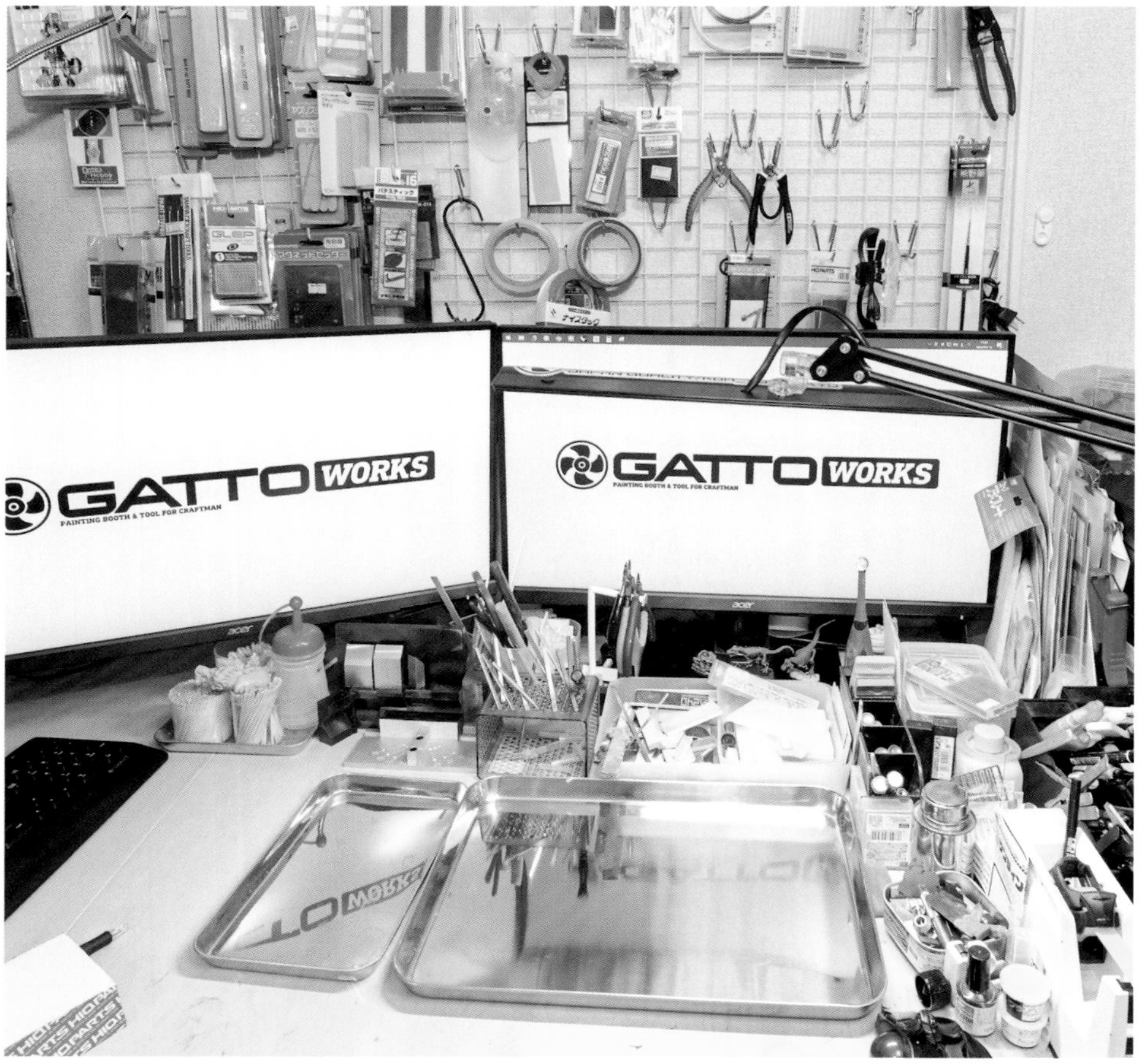

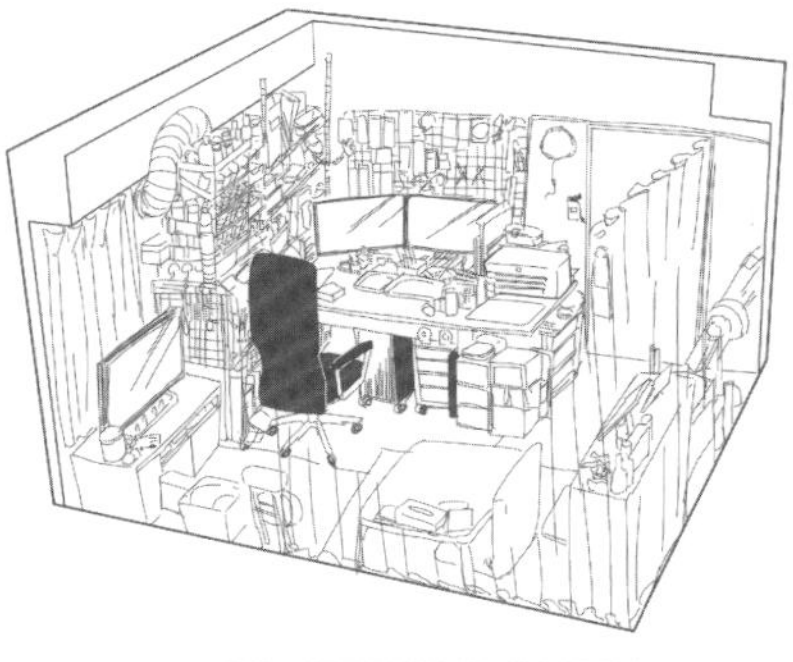

ROOM SPEC

- 場所:東京都
- 住宅形態:賃貸マンション
- 築年数:30年ほど
- 家全体の間取り:2LDK
- 作業部屋:
  8畳のリビングの一角
- 家族構成:自分・妻・インコ

1

2
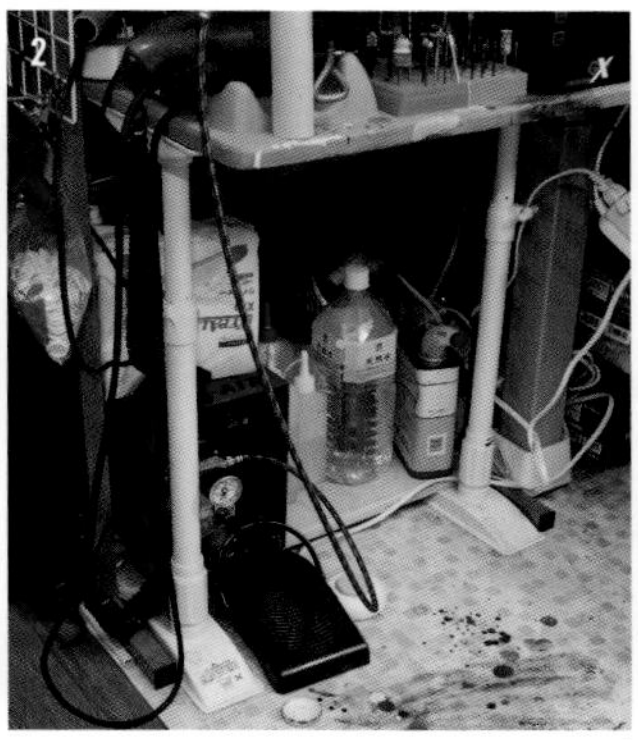
3
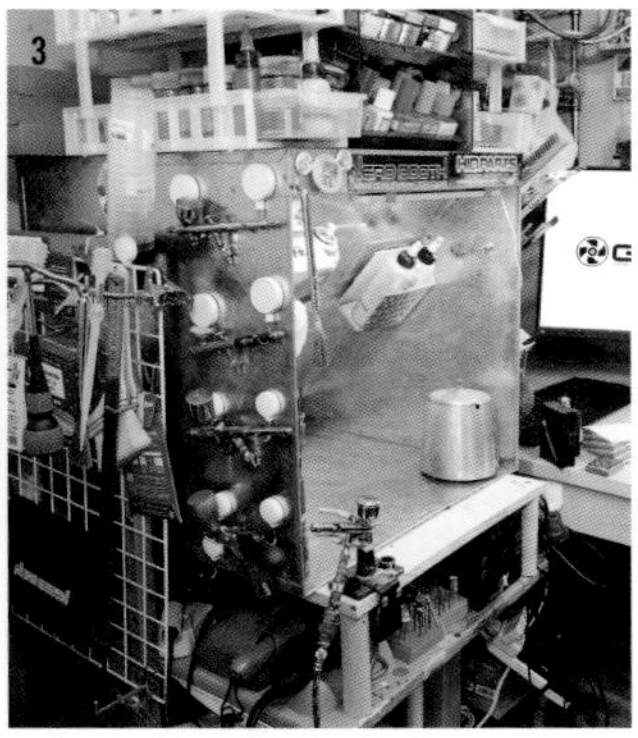
4

5

6
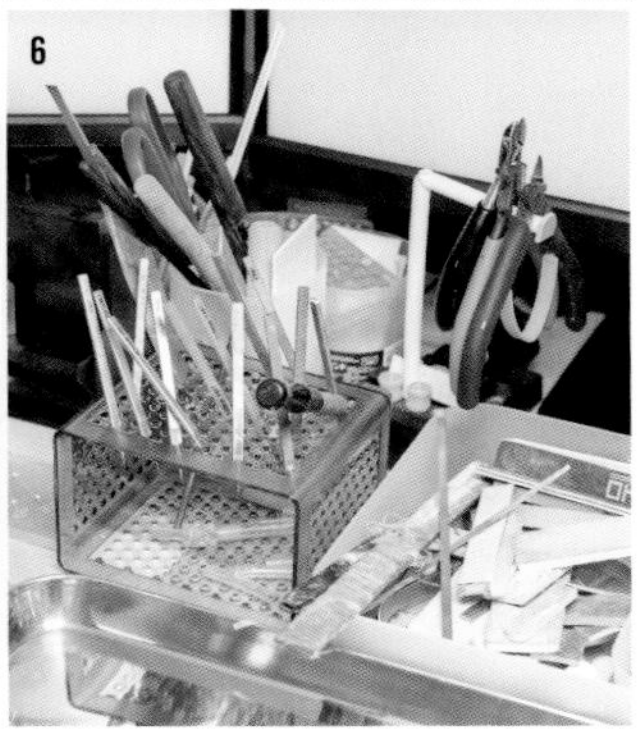
7

8

9
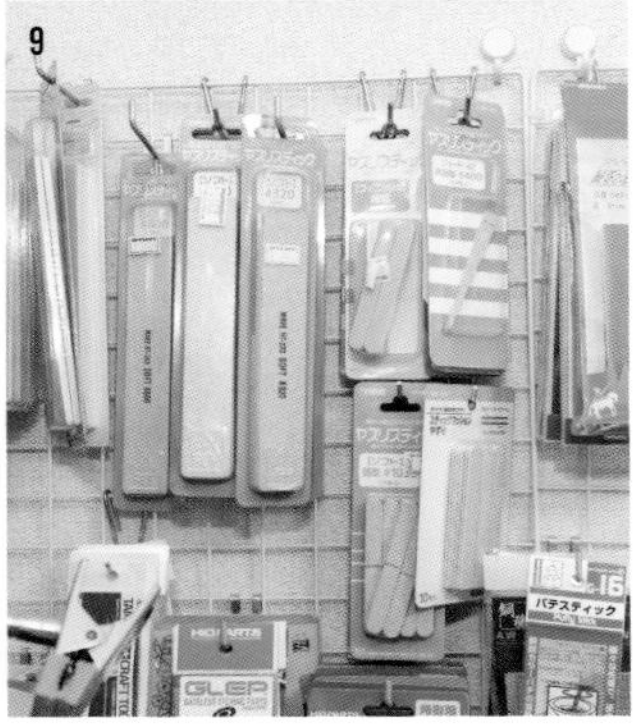

1 4 机下のキャビネットや書類入れケースに塗料を保存している。**2** コンプレッサーはホルベイン　ワーサー15A。低騒音のオイル式コンプレッサーだ。**3** 左ききのため、ネロブースは作業机の左側、窓前に設置。亜鉛メッキで防錆された鉄板なので、磁石ならブースの内外を問わず取り付けられる。ブース内は強力な静圧が働くため、即座に排気される。そのため、ブース内のボトルや灰皿、キムワイプなどがミストで汚れる心配がない。**5** V型の金属ブロック。既成品では満足できず、部材を変更した特注品を発注したという。プラ板の断面を垂直にするために使う。**6** 卓上にはヤスリやタガネなどを保管するスペースを設けている。**7** メタルラック内には乾燥ブースとして食器乾燥機を設置している。**8** 使用してるハンドピースは、アネスト岩田 HP-CH、エアテックス コラーニ、エアテックス インフィニティなど。**9** 金網ネットを多用して、ヤスリやそのほかの材料類のストックを保管している

趣味は模型部屋作り
理想の環境を作るため試行錯誤

作業机を改造するのが趣味なので、来月にはもう仕様変更してるかもしれません。

実家を出て部屋を借りた際、最優先で構築したのが作業スペースです。最初の数週間は家具も家電も揃ってないのに、作業環境だけはしっかりしている異様な空間でした。メインの机は210×90㎝のダイニングテーブルを使用しています。広さと耐荷重を活かして作業に必要なものの4割近くを載せています。

机の上には大小のステンレストレイひとつずつを正面に配置し、小さいトレイにパーツを置きつつ、大きいトレイの上で表面処理等の削り作業をしています。ただのゴミ受け程度のつもりで配置したのですが、使っている工具を放り出しておけたり作業中のパーツが机から転がり落ちるのを予防してくれたり……と、想定以上の効果を発揮しました。塗装時には重ねて空きスペースへ退避させることで、塗装中のパーツ置き場を確保することもできます。

右側は雑多なものをとりあえず放り込んでおく棚と、作例などの途中経過を撮影するスペースにしています。ふだんは買ってきたものをとりあえず置いて放置しているので、使用するたびに片付けています。

なくなって困る工具には予備を、が信条なので、壁には工具やマテリアルの予備を掛けられるようメッシュパネルを設置しています。机の奥行きが90㎝もあるので立ち上がらないと取れませんが、予備なのでぜんぜん構わないのです。

塗装環境は実家で使っていたPCラックをベースにし、自作塗装ブースの〝ネロブース〟を設置。さらにネロブースの上に20kgほどの塗料棚を置いていたら〝机のほうが〟荷重に耐えきれず崩壊。地震対策用の突っ張り棒で補強し修繕しました。最近の作業机の更新により、メイン机の上に電動工具を置く場所がなくなったので、ネロブースの下に急遽棚を作って配置しました。

ハンドピースはマグネットフックでネロブース左側面に、塗料はブース上のほかにメイン机の下にも収納してあります。コンプレッサーと溶剤関係はブース下の空間にまとめてあります。ブース内にはよく使うツールクリーナとブラシマスターを充填したボトルを入れるホルダー、キムワイプの箱をマグネットで固定しています。喫煙者なので灰皿も設置していますが、塗装中にエアで灰が舞わないように蓋付きのものを選びました。ネロブースのおかげで部屋がタバコ臭くなることもなく、妻にも文句を言われずに済んでいます。■

ココがPOINT!

いちばんの自信作「ネロブース」

もともとは、本人が自分自身のために開発した塗装ブースだったネロブース。評判が口コミで広がり現在では一般販売もされるまでに至った。（詳しくは次ページで）

GATTO WORKS NERO BOOTH

ガットワークス ネロブース

問ガットワークス
https://www.gattoworks.net/

◀写真には写っていないが、この排気ユニットからアルミダクトパイプを使って室外に排気するようにセッティングする必要がある

ネロブース
【本体】
サイズ：W500×D500×H530㎜
（シロッコファン接続パイプ部分を含む）
素材：亜鉛鉄板製
重量：約8.5kg

【排気ユニット】（製品により異なる）
サイズ：W255×D255×H528㎜
風量：400㎥/h
静圧：59Pa
騒音値：43dB
消費電力：57.0W
重量：約8kg
付属品：スイッチ付き電源コード
税込　4万9500円（送料別）

●ブース内に斜めに亜鉛鉄板製の板が装着されているのが特徴。その上下がスリット状に開口されており、この板で仕切られた裏側がチャンバーとなり減圧される仕組みだ

❶ネロブースのキモとなる排気ユニットであるシロッコファンは、建築の内装で使われる大型かつ強力なものを使用。これが静圧を生み出す。❷ブース内の上部をのぞくと吸い込み口のスリットが開いており、ここからも跳ね返ったミストを吸い込む。ブースは亜鉛鉄板でできており、磁石が効くので塗装用備品類をマグネットで固定することも可能だ。❸ブース内下面にはメインの吸い込み口があり、正面の斜め板にあたって流れていったミストを裏のチャンバー空間に吸い込む

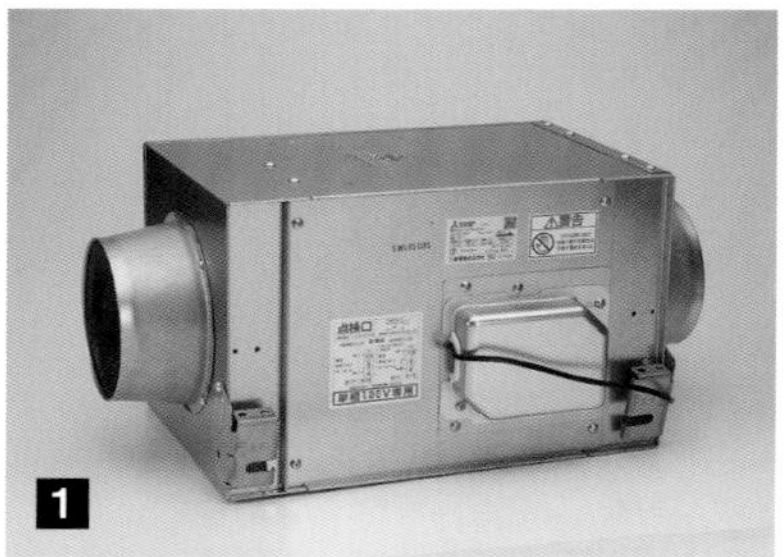
1

2

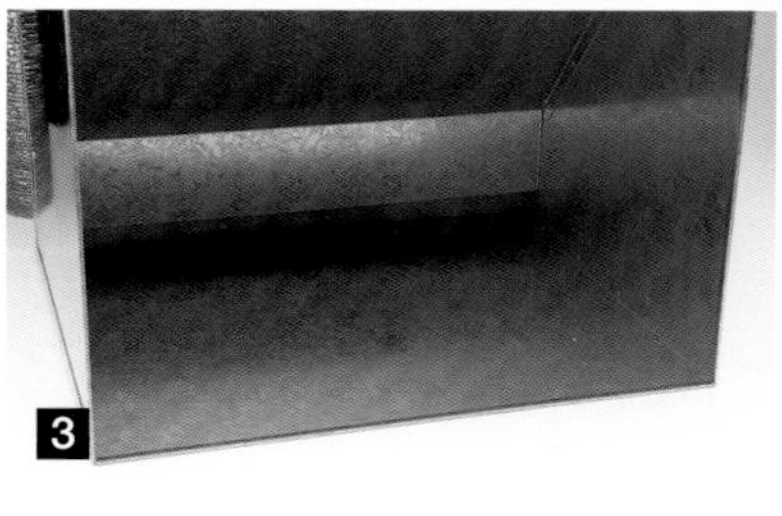
3

近年話題！ ヘビーユーザー用の最高峰モデル

小さくなってネロブースの弟分が新登場！

ネロブースmini
【本体】
サイズ：W450×D400×H450㎜
（シロッコファン接続パイプ部分を含む）
素材：亜鉛鉄板製
重量：約3kg

【排気ユニット】
サイズ：W200×D200×H206㎜
※シロッコファン接続時全高670mm風量：300㎥/h
静圧：（実測値検証中）
騒音値：41dB
重量：約3kg
付属品：スイッチ付き電源コード
税込　4万4000円（送料別）

GOKANYA GOKAN BOOTH

互換屋 互換ブース

(問)互換屋
https://gokanya.net/

まさかのネロブース互換機、安価かつパワフル

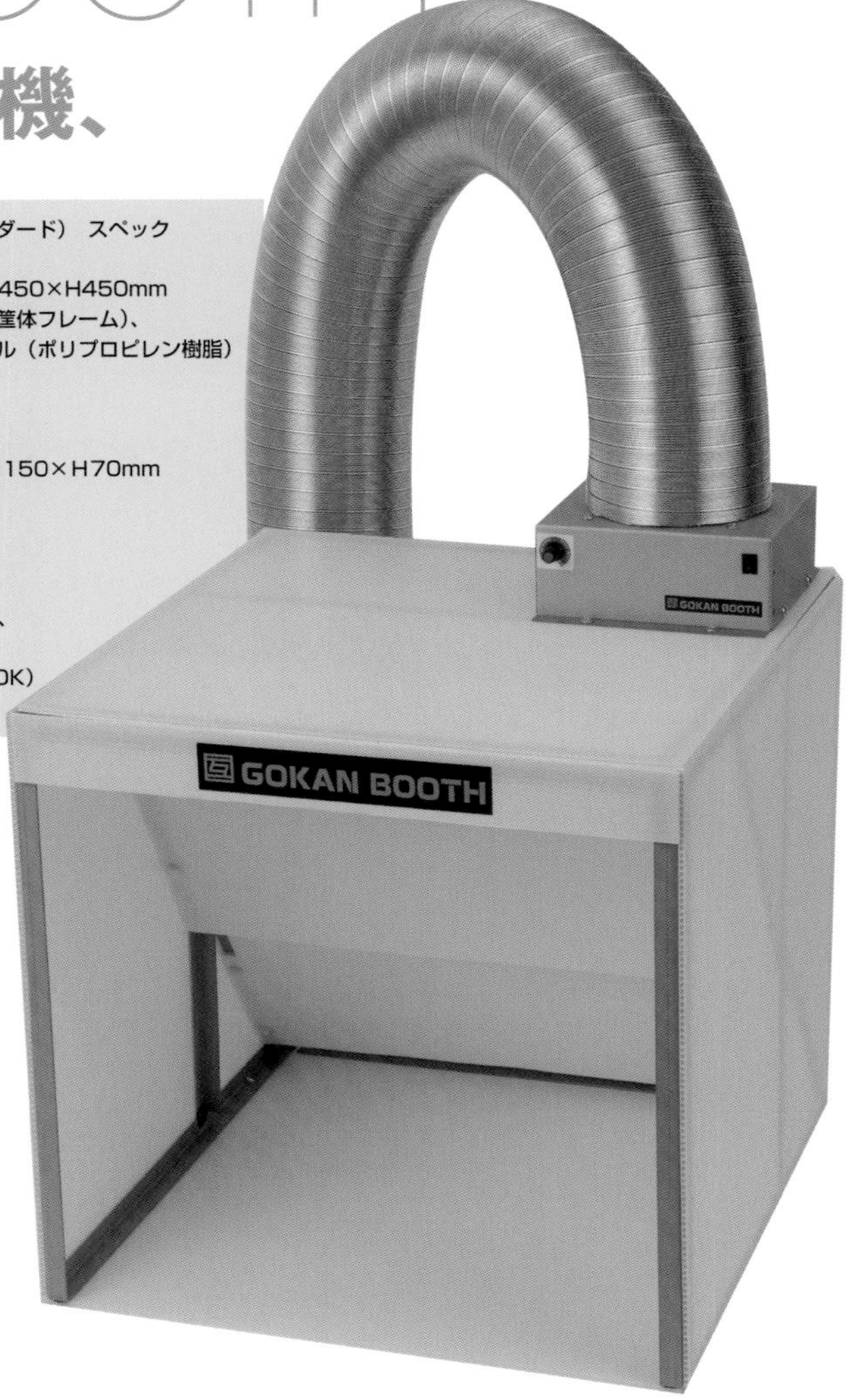

互換ブース（スタンダード） スペック
【本体】
サイズ：W450×D450×H450mm
素材：亜鉛鉄板製（筐体フレーム）、
プラスチック段ボール（ポリプロピレン樹脂）
重量：4kg

【排棄ユニット】
サイズ：W170×D150×H70mm
風量：7.35㎥/m
静圧：340Pa
音量：64dB
消費電力：72W
付属品：電源コード、
LEDライト
（昼白色,10W,6500K）
税込　2万6400円

12ファンユニットは軸流ファンを採用。電源と風量設定を兼ねた無段階調整ボリュームが付いているのが特徴。ボリュームを最大にすれば相当量の風量を稼ぐことができる。標準でブース内のLED照明が付いており、右端にそのスイッチが付いている。ダクトをはずせば軸流ファンを直視できる。汚れがひどい場合はユニットごとの交換、メンテナンスが可能。期待寿命4000時間（4～5年）はもつという。3ブース内の斜め板は二枚に別れており、スリットが上、中、下と3ヶ所に設けられており、取り外しも可能だ

1

2

3

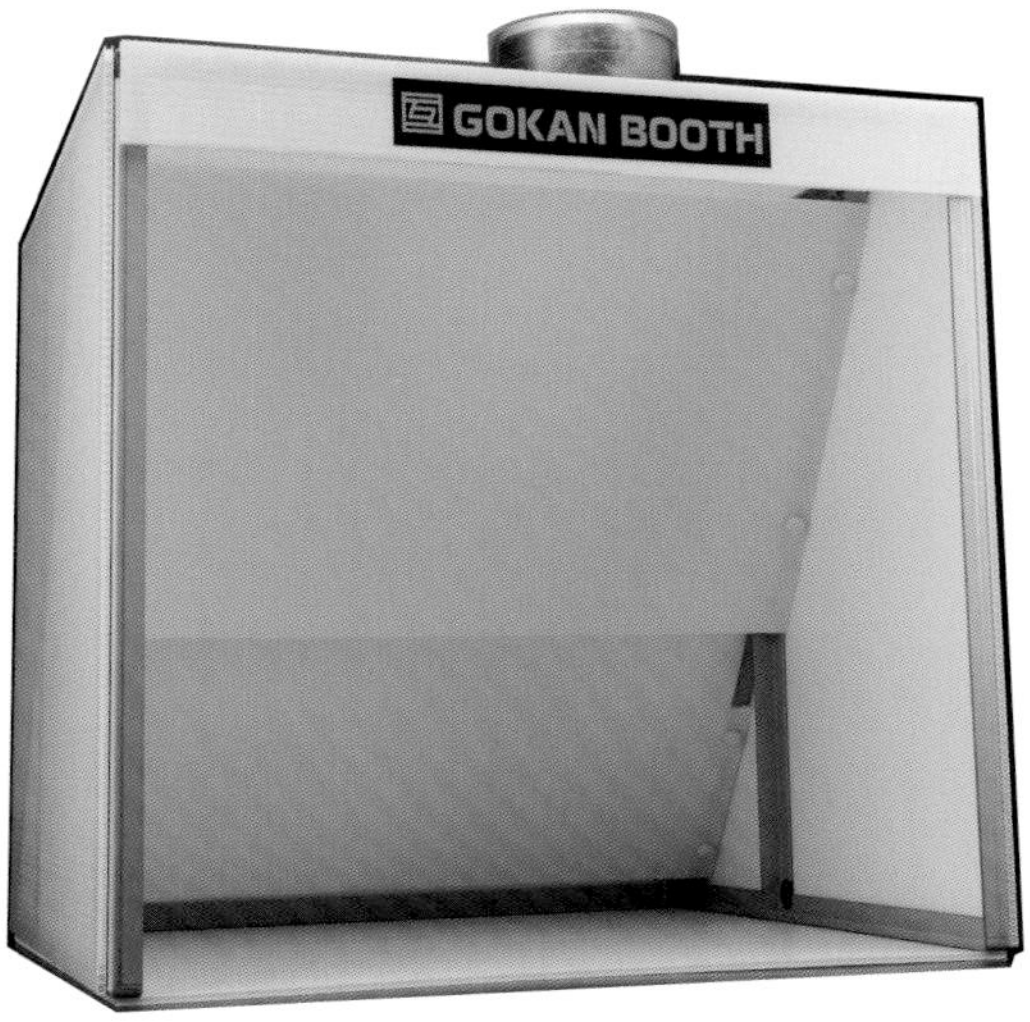

●鉄製のフレームにプラスチック段ボールを貼り付けた筐体に、ファンユニットがネジ留めされた構造。そのため大きさにに比べ比較的重量が軽い。安価な筐体素材を採用し、汚れたら交換することを推奨している。電源はＡＣアダプターを使用している

SPRAY-WORK PAINTING BOOTHII (TWIN FAN)

スプレーワーク ペインティングブースⅡ（ツインファン）

㊫タミヤ・カスタマーサービス
☎054-283-0003

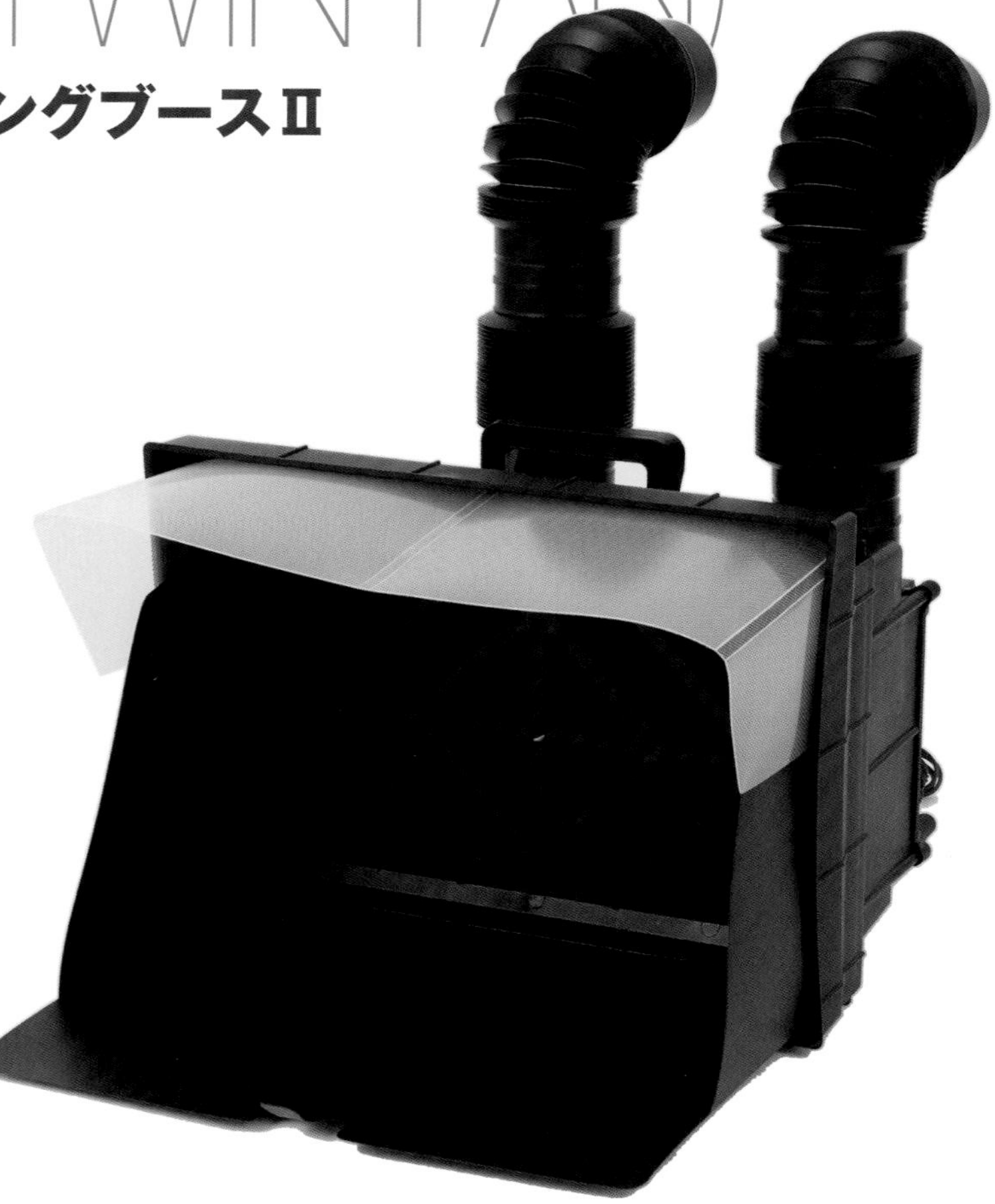

●独立したシロッコファンを真後ろに搭載しているのと、バランスをとるためのステーが下面にあるため、設置のスペースは若干広めに 必要

スプレーワーク
ペインティングブースⅡ
【本体】
サイズ：W400×D530×H300㎜
W400×D330×H30㎜（収納時）
重量：約4.3kg
風量：2100L／分
消費電力48W（24W×2）
動作音：63db
モーター：ACモーター
ファン：74φ×40アルミ製シロッコファン
電源コード：約2m

税込2万7280円

定番中の定番！安心のタミヤ製

シロッコファンを２基搭載しているので力強く吸引してくれる。また正面のフィルターに工夫がしてあるため、中央部だけでなく、塗装ブースの周辺部からも吸気してくれる。動作音は60 ～ 65dbと若干だが高め。しかし稼働させていて騒音に悩むというレベルではない。ファンは個別に稼働させることができるので、必要なら1基のみの稼働にし駆動音を抑えることも可能だ。

▶正面を４つのフィルターに分割し、中央だけでなく周辺部分からも吸引するので、吹き返しのミストも逃さず、広い範囲で吸気を行なうことができる

GSI Creos Mr.Super Booth Compact

GSIクレオス Mr.スーパーブース コンパクト

㈷GSIクレオスホビー部
☎03-5211-1844

実勢価格1万円+αのエントリーモデル

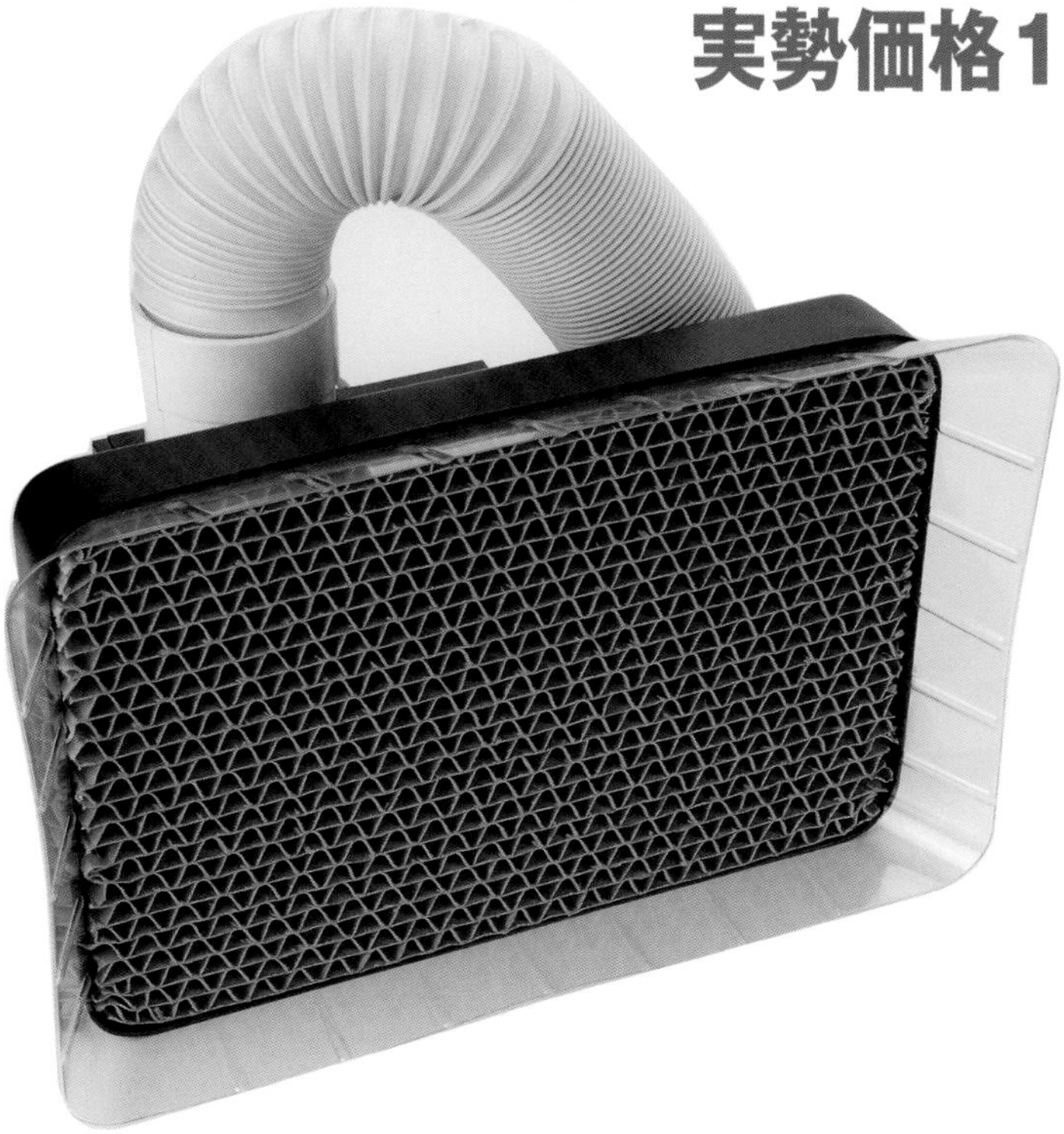

構造も非常にシンプルでファン以外はすべて交換が可能。ある程度汚れたらファン以外は丸ごと交換する使い方だ。ファン部分下に敷く台座が付属するようになり、前モデルに比べて非常に安定して使えるようになった。しかしブース面積が小さくなったぶん、風の流れは若干ながら増えている印象がある。高圧でのエアブラシ作業には厳しいかもしれないが、作業する室内の空気の流れを考えて設置すれば充分使用できるだろう。なおメーカーでは缶スプレーの使用は推奨していない。小さいファンが1基稼働するだけなので騒音らしい騒音は発生しない。

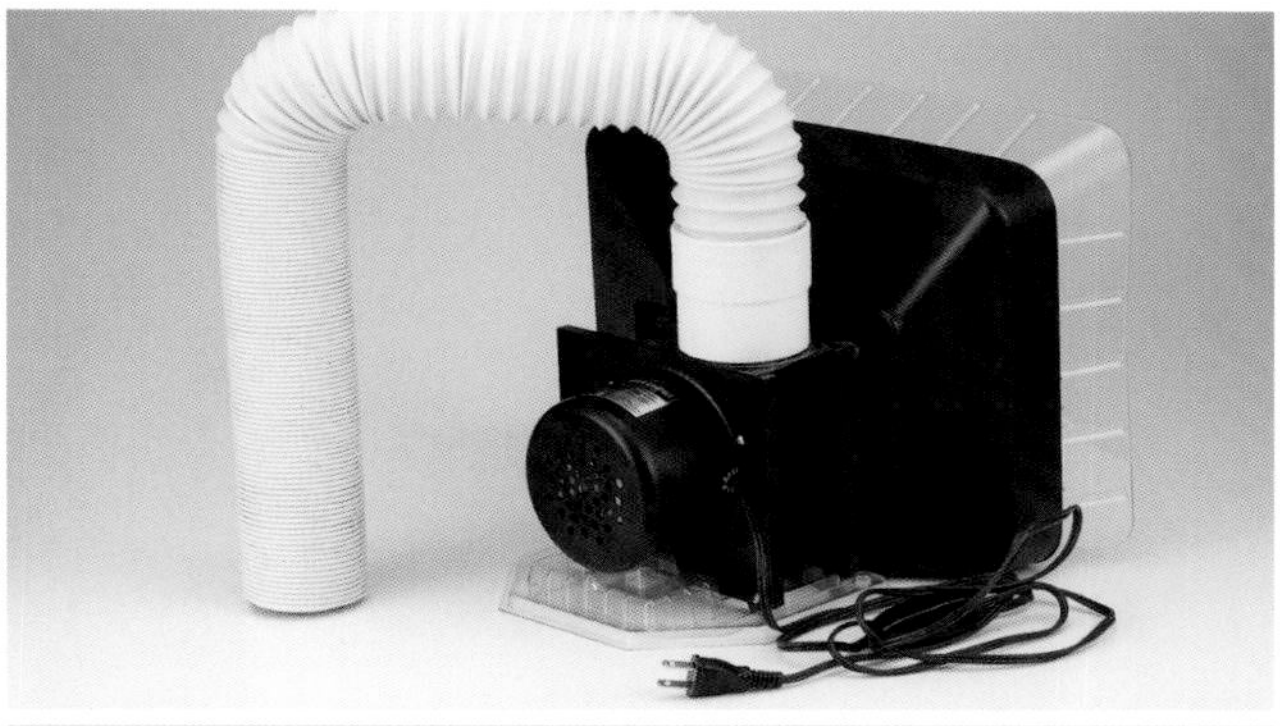

Mr.スーパーブース　コンパクト
【本体】
サイズ：W370×D290×H260㎜
ホース：φ65×1500㎜
動作音：57dB
税込1万9800円

AIRTEX RED CYCLONE L

エアテックス レッドサイクロン エル

㈷エアテックス
http://www.airbrush.co.jp/

▼展開時には33㎝もの高さのブースとなる。このブース内でエアブラシを塗装してくれればミストが四散しないでくれる、というのがメーカー推奨の使い方だ

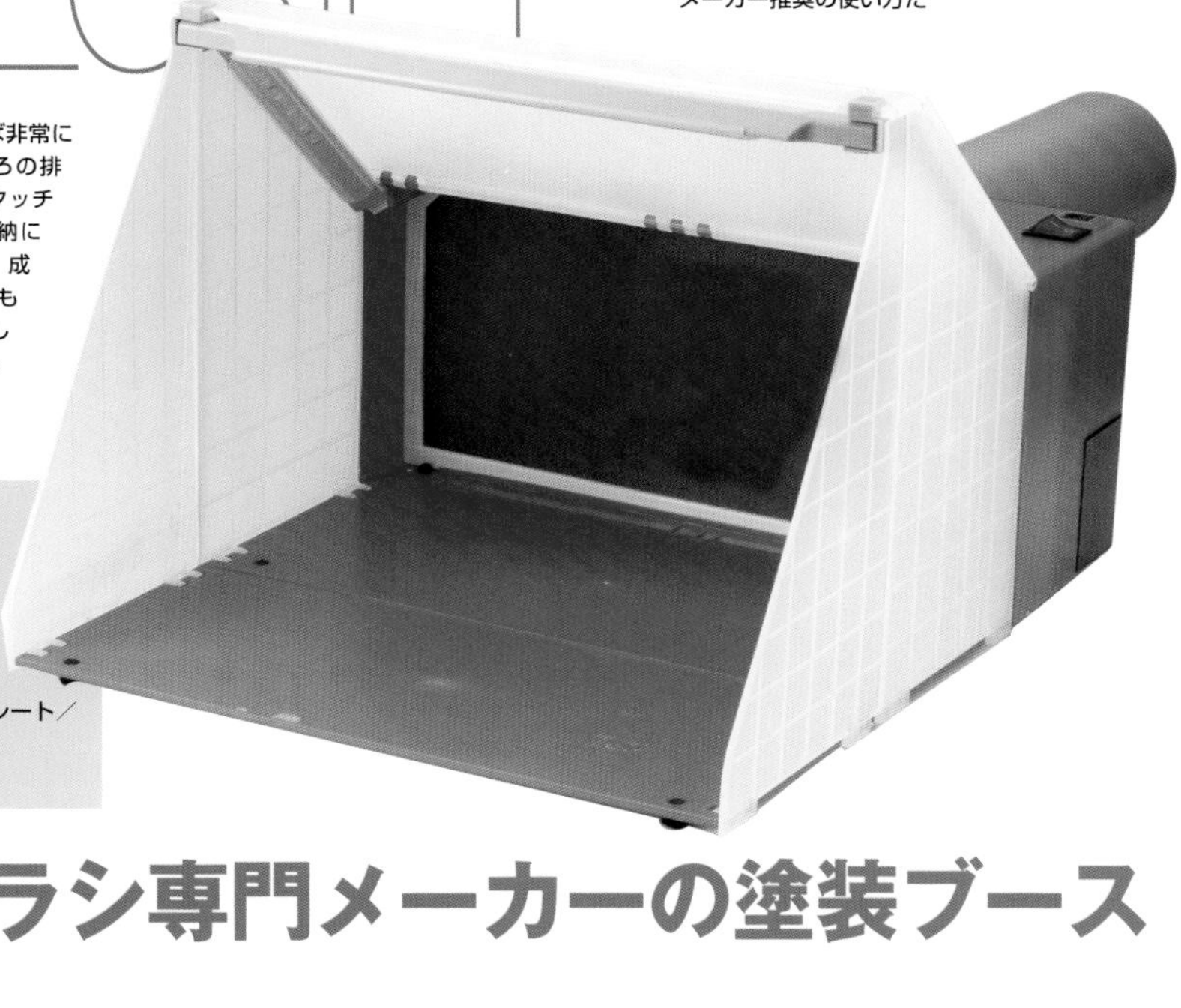

◀畳んでしまえば非常にコンパクト。後ろの排気ノズルもワンタッチで外れるので収納に困ることもない。成形素材も旧来のものから溶剤に対して比較的強いものに変更された

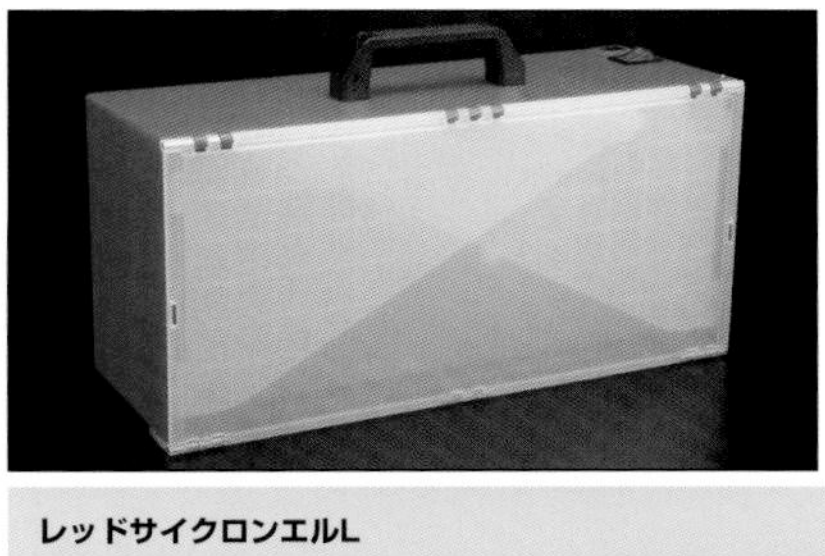

レッドサイクロンエルL
【本体】
サイズ：W420×D590×H330㎜
W420×D260×H240㎜（収納時）
素材：ABS その他
重量：3.5kg
モーター／DC12V　1.6A
電源／AC100-240V　50/60Hz
風量／ 240㎥/h
音量／ 60dB
付属品：
排気ホース1.7m
（直径11㎝）／
ホーススリーブ／
排気口アタッチメント／回転プレート／
LEDライト　そのほか
税込2万350円

折り畳める！ エアブラシ専門メーカーの塗装ブース

編集／Editer
モデルグラフィックス編集部
関口コフ

撮影／Photo
インタニヤ

装丁／Bookbinder,Cover Design
福井政弘

デザイン／Design
波多辺健（ハタ）

イラストレーション／Illustration
もやし

取材協力／Collaborators
ken16w
たぬき
伊藤康治
野々上秀樹
笹原大（R工廠）
竹内邦之
ファジー
鷲見博
高橋清二
Pooh熊谷
谷明（海洋堂）
朱凰@カワグチ
リョータ
内藤あんも
長徳佳崇
KuWa[FRAMEOUT MODELS]
黒川りく
フクダカズヤ
大塚武士
ROKUGEN
ちょうぎ
西澤浩
西村剛
アーリー・チョップ！
がっとねろ

協力／Special thanks
株式会社ガットワークス
株式会社drawers 相談家具屋

モデラーズルーム スタイルブック 2

発行日　2020年3月7日 初版第1刷

発行人／小川光二
発行所／株式会社 大日本絵画
〒101-0054 東京都千代田区神田錦町1丁目7番地
URL; http://www.kaiga.co.jp/

編集人／市村弘
企画／編集 株式会社アートボックス
〒101-0054 東京都千代田区神田錦町1丁目7番地
錦町一丁目ビル4階
URL; http://www.modelkasten.com/

印刷／大日本印刷株式会社
製本／株式会社ブロケード

内容に関するお問い合わせ先: 03(6820)7000 (株)アートボックス
販売に関するお問い合わせ先: 03(3294)7861 (株)大日本絵画

Publisher/Dainippon Kaiga Co., Ltd.
Kanda Nishiki-cho 1-7, Chiyoda-ku, Tokyo 101-0054 Japan
Phone 03-3294-7861
Dainippon Kaiga URL; http://www.kaiga.co.jp
Editor/Artbox Co., Ltd.
Nishiki-cho 1-chome bldg., 4th Floor, Kanda
Nishiki-cho 1-7, Chiyoda-ku, Tokyo 101-0054 Japan
Phone 03-6820-7000
Artbox URL; http://www.modelkasten.com/

ISBN978-4-499-23287-6